ABBREVIATIONS OF PARTS OF SPEECH | 词类简称表

缩写 Abbreviations	英文全称 Parts of Speech in English	词类名称及简称 Parts of Speech and Abbreviations in Chinese
n.	Noun	名词（名）
pron.	Pronoun	代词（代）
v.	Verb	动词（动）
adj.	Adjective	形容词（形）
adv.	Adverb	副词（副）
m.	Measure Word	量词（量）
prep.	Preposition	介词（介）
conj.	Conjunction	连词（连）

汉语听力系列教材
（第二版）

Elementary
Chinese
Listening

II

初级汉语听力

下 主编/李铭起　王彦
编著/张云

北京语言大学出版社
BEIJING LANGUAGE AND CULTURE
UNIVERSITY PRESS

图书在版编目 (CIP) 数据

初级汉语听力.下/ 李铭起，王彦主编. — 2版.
— 北京 : 北京语言大学出版社，2013.11
汉语听力系列教材
ISBN 978-7-5619-3645-0

Ⅰ.①初… Ⅱ.①李… ②王… Ⅲ.①汉语—听说教
学—对外汉语教学—教材　Ⅳ.①H195.4

中国版本图书馆 CIP 数据核字（2013）第 268934 号

书　　　名：初级汉语听力（下）
　　　　　　CHUJI HANYU TINGLI (XIA)
中文编辑：李佳琳
英文编辑：侯晓娟
责任印制：姜正周

出版发行：北京语言大学出版社
社　　址：北京市海淀区学院路 15 号　　　邮政编码：100083
网　　址：www.blcup.com
电　　话：发行部　010-82303650 / 3591 / 3651
　　　　　编辑部　010-82301016
　　　　　读者服务部　010-82303653 / 3908
　　　　　网上订购电话　010-82303080
　　　　　客户服务信箱　service@blcup.com
印　　刷：北京画中画印刷有限公司印刷
经　　销：全国新华书店

版　　次：2013 年 11 月第 2 版　　　2013 年 11 月第 1 次印刷
开　　本：889 毫米 ×1194 毫米　　　1/16　　　印张：课本 8　录音文本及参考答案 8.5
字　　数：263 千字
书　　号：ISBN 978-7-5619-3645-0 / H·13230
定　　价：65.00 元

凡有印装质量问题，本社负责调换。电话：010-82303590

FOREWORD | 编写说明

《汉语听力系列教材》自1999年由北京语言大学出版社出版发行以来，受到了国内外同行及使用者的认可，甚至部分国内外高校或汉语培训机构至今仍在使用该系列教材。但毕竟时过境迁，中间发生了太多的变化，原版系列教材的问题也逐渐显现出来，为此，在北京语言大学出版社领导和诸位编辑的鼓励和支持下，我们本着"继承和创新"的原则，综合考虑各方面因素，对原版教材进行了全新设计，于是有了《汉语听力系列教材》（第二版）。

一、适用对象

《汉语听力系列教材》（第二版）是专门为学习汉语的外国学习者编写的一套系列听力技能训练类教材，分初、中、高三级，以适合不同水平学习者的需求，掌握600 — 5000汉语词汇的学习者均可选择适合的级别使用。

本书是该系列教材的初级课本（下），共16课，适用于掌握1200以上汉语词汇的外国学生和进修生。

二、教材目标

培养和提高学习者的汉语听力技能和交际技能，激发学习兴趣，提高不同听力环境的适应能力。

具体来说，就是培养学习者正确的汉语发音和辨音能力，使其掌握一定的听力技巧，逐步提高其听力水平和反应速度，为其日后得体地输出打好基础。

三、教材结构及编写体例

原版教材为初、中、高三级，每级分为1—3三册，共9个分册。新版教材仍为初、中、高三级，每级分为上、下两册，共6个分册。为便于使用，每册均配有《录音文本及参考答案》分册。

课本：含练习及词语总表，其中"词语"标注汉语拼音和词性；

录音文本及参考答案：含录音文本及参考答案，其中"词语"除拼音和词性外还标注简明英语释义，高级两册标注简明汉语释义。

与新HSK对应关系：初级上册对应新HSK三级，初级下册对应新HSK四级，中级本对应新HSK五级，高级本对应新HSK六级。

初级课本每册各有16课，每4课为一个单元，每个单元后有一次单元测试，全书共分为8个单元。

本册第一单元以训练学生的语音和语调为主。第二单元到第八单元每课分为精听和泛听两部分：

"精听部分"包括"词语"、"课文"和"新HSK实战演练"三部分。"词语"是精听课文中出现的生词、习惯用语等，只标注词性、汉语拼音，不作释义，可作为课后作业供学生预习，仅在录音文本册提供简单的英语注释。"课文"部分包括三篇课文，其中，第二单元到第六单元包括两段长对话和一篇叙述性文章，第七、八单元的三篇课文均为叙述性文章，这样设计主要考虑到初级课本与中级课本的衔接。"课文"部分的练习形式有选择、填空、判断正误、回答问题等，主要测试学生对录音材料的理解程度，训练其综合分析、准确表达能力和良好的语感。"新HSK实战演练"部分依据新HSK三级、四级考试大纲而编写，每课20题，3个题型。题型一为1句话，判断句子正误，相当于新HSK三级听力考试的第二部分和四级听力考试的第一部分；题型二为男女两人各说1句话，1个问题，上册3选1形式，下册4选1形式，相当于新HSK三级听力考试的第三部分和四级听力考试的第二部分；题型三为一段长对话或讲话，1个问题，上册3选1形式，下册4选1形式，相当于新HSK三级听力考试的第四部分和四级听力考试的第三部分。

"泛听部分"是一段长度适中的短文，练习形式为填空和回答问题。该部分是在精听基础上的一个提升，可作为选用教材或辅助教材，旨在为学生的不同需要提供更多的选择空间。

"单元测试"是对本单元所学内容的巩固和复习，分为两部分。第一部分为新HSK实战演练，共20题。第二部分是一篇难度相当的长对话或短文，用以考查学生的综合理解能力。

每课一般需要4 — 6课时完成。

四、教材特色

对外汉语教学离不开教材，有不同类型的教学，就会有不同类型的教材。教材特点各不相同，但满足教学需求、培养学习者的汉语交际能力是共同的。除此之外，本版教材的主要特色有：

1. 具有较强的科学性。本教材设计主要依据《国际汉语能力标准》和《新汉语水平考试大纲》，参考《汉语水平词汇与汉字等级大纲》、《汉语水平语法等级大纲》，教学目标明确，层次分明，梯度有序，利于激发学习兴趣，给学习者以成就感。课文的难易度遵循由浅入深、由易到难、循序渐进的原则。

2. 针对性、实用性强。符合课堂教学实际需要，兼顾新HSK应试，努力实现二者的和谐统一。针对外国留学生的汉语学习特点，精听、泛听课文重在训练其综合听力能力，新HSK实战演练部分采用新HSK听力考试的形式，对学生进行专项强化训练。

3. 难度适中，兼顾课堂内外，符合教学和学习规律。"可懂输入"（先文后声）和"实况听力"（先声后文）在不同层级的比例恰当、合理。"精听课文"长度一般控制在200—300字左右，"泛听课文"长度控制在200—400字左右。每课的生词量一般不超过6%，既保证了信息输入量，又不会给学生造成太大的负担。

4. 注重知识性、趣味性。语料内容鲜活，易学易用，真实自然，贴近交际实际。话题广泛，题材多样，语言力求流畅自然、生动有趣，以增强和调动学习者的学习兴趣。

5. 文化内容丰富，体现汉语的优美与生动，能让学习者品味中华文化的魅力。

五、编写原则

为实现上述教学目标，本版系列教材在编写过程中遵循了以下编写原则：

1. 整体设计遵循科学性、针对性、实用性、趣味性、系统性等方面的要求，这也是原版教材所努力追求的。

2. 教材内容的组织遵循第二语言教材编写循序渐进，由易而难，由浅而深，分布均匀、重现与循环等通行做法，在语流中辨音，在短语或句子中辨听词汇，在语段中理解句义，适合大多数学习者的接受程度。重点参照《国际汉语能力标准》和《新汉语水平考试大纲》。

3. 教材体例遵循易用好用的原则，充分兼顾汉语课堂教学需要和学习者应试新HSK的需要，努力实现二者的和谐统一。每一课的"精听部分"为教学/学习重点，"泛听部分"为教学/学习的扩展训练。"新HSK实战演练"依据不同级别的新HSK考试大纲编写，既是针对新HSK听力的强化训练，也是课文部分的扩展练习。

4. 练习设计遵循丰富实用的原则，练习形式多样，练习重点突出，追求课堂教学的生动性和趣味性，本教材尤其关注听力微技能训练。

5. 语言材料选择遵循真实性和多样性的原则，题材内容涉及面广，涵盖日常生活交际到社会生活的方方面面，是学习者生活中常用、交际中所必需的，利于激发学习者的学习积极性。体裁、语言风格努力做到丰富多样，利于交际，随着学习水平的提高，逐步扩展、深入并加大文化内涵，尤其是体现时代性与典型性的统一，努力展现当代中国社会生活的丰富多彩和中国文化的多元性。

六、特别说明

本教材所用部分语料选自报刊、网络，由编者改编而成。限于时间及其他原因，事先未能与原作者取得联系，特此致歉并向各位作者表示衷心感谢！

限于编者水平，本教材难免有这样那样的缺点，敬请各位同行及教材使用者批评指正，以利于日后的修订。

七、致谢

感谢山东大学国际教育学院各位领导和老师对本教材修订工作的支持和鼓励。

感谢北京语言大学出版社张健总编辑对本教材编写工作的关心和所作的指导。

感谢北京语言大学出版社诸位编辑为本教材编写、出版所付出的辛劳和提供的无私帮助。

感谢国内外各位同仁、朋友对本教材的关注和所提供的宝贵意见。

李铭起　王彦

2013年4月

目录 | CONTENTS

第十七课 | 听说你搬家了

精 听 部 分 ▶

 词 语

17-1

1. 堵车	dǔ chē	v.
2. 退休	tuì xiū	v.
3. 闷闷不乐	mènmèn-búlè	
4. 失落	shīluò	adj.
5. 集体	jítǐ	n.

6. 比较	bǐjiào	v.
7. 推销	tuīxiāo	v.
8. 烫（头）	tàng (tóu)	v.
9. 操心	cāo xīn	v.

练 习

听说你搬家了

 一、连续听两遍录音，然后选择正确答案。

17-2

Listen to the recording twice in succession, and then choose the right answers.

1. 张丽搬家多长时间了？
   A. 一天
   B. 三四天
   C. 半年了
   D. 一个月了

2. 搬家以后，张丽早上几点出门？
   A. 6：40
   B. 6：50
   C. 7：50
   D. 8：00

3. 现在张丽怎么去上班？
   A. 坐地铁
   B. 坐出租车
   C. 骑自行车
   D. 坐公交车

4. 张丽现在的家离单位有多远？
   A. 十分钟的路
   B. 半小时的路
   C. 一小时的路
   D. 两小时的路

5. 关于张丽，可以知道什么？

    A. 经常打不着车

    B. 经常遇上堵车

    C. 现在来得比以前早

    D. 总是提前半小时出门

二、再听一遍录音，然后回答下列问题。

17-2

Listen to the recording again, and then answer the following questions.

1. 张丽现在搬到哪儿去了？和以前住的地方比怎么样？

2. 张丽现在每天出门早不早？为什么？

3. 张丽每天到单位早不早？为什么？

4. 张丽每天上班那条路的交通状况怎么样？

三、说一说。

Talk about it.

谈谈你住的地方的交通状况。

原来是因为退休啊

一、连续听两遍录音，然后回答下列问题。

17-3

Listen to the recording twice in succession. Then answer the following questions.

1. 张丽刚才干什么了？

2. 张丽有什么心事？

3. 张丽的爸爸最近心情怎么样？

4. 张丽的爸爸以前是一个什么样的人？

5. 张丽的爸爸最近为什么跟换了个人似的？

6. 李明的爸爸退休的时候怎么样？

7. 李明的爸爸现在怎么样？为什么？

8. 张丽有什么打算？

二、说一说。

Talk about it.

你还有什么办法能让张丽的爸爸重新高兴起来？

集体买篮球

🎧
17-4
一、连续听两遍录音，然后回答下列问题。

Listen to the recording twice in succession. Then answer the following questions.

1. 他们宿舍想买什么？怎么买？

2. 大家打算怎么做？

3. 听到篮球的价格，王明他们为什么摇头？

4. 推销员为什么很高兴？

5. 推销员说的"集体"和王明他们说的一样吗？

🎧
17-4
二、再听一遍录音，边听边填空。

Listen to the recording again. Fill in the blanks while listening.

1. 我们宿舍决定_____买个篮球。

2.（我们）见有人正_____篮球，就上前问了问。

3. 王明推了推眼镜，_____地说："我们6个人集体买一个！"

新 HSK 实战演练

🎧
17-5
一、根据你所听到的，判断句子的正误（对的画√，错的画 ×）。

Decide whether the following sentences are right (√) or wrong (×) according to what you hear.

1. 王明没去过西安。　　　　　　（　　）

2. 他在等人。　　　　　　　　　（　　）

3. 他很喜欢自己的新发型。　　　（　　）

4. 他一定能拿第一。　　　　　　（　　）

5. 李老师显得很大。　　　　　　（　　）

二、根据对话，选择正确答案。

17-6

Choose the right answers according to the dialogues.

1. A. 古巴
   B. 巴西
   C. 阿根廷
   D. 西班牙

2. A. 吵架了
   B. 走散了
   C. 离婚了
   D. 分手了

3. A. 商场
   B. 学校
   C. 邮局
   D. 书店

4. A. 男的
   B. 女的
   C. 李美
   D. 王颜

5. A. 自习
   B. 上课
   C. 找手机
   D. 借手机

6. A. 有点儿肥
   B. 有点儿瘦
   C. 有点儿长
   D. 非常合适

7. A. 得意
   B. 嘲笑
   C. 羡慕
   D. 责怪

8. A. 觉得可惜
   B. 不太满意
   C. 不想爬山
   D. 喜欢爬山

9. A. 看书
   B. 散步
   C. 看电影
   D. 看电视

10. A. 已经三十了
    B. 想找女朋友
    C. 还没有结婚
    D. 工作非常忙

三、根据你所听到的，选择正确答案。

17-7

Choose the right answers according to what you hear.

1. A. 没人接她
   B. 要去北京
   C. 她认识秘书
   D. 秘书认识她

2. A. 上课
   B. 陪朋友
   C. 找朋友
   D. 去南京

3. A. 比他好
   B. 不太好
   C. 比他差
   D. 和他一样

4. A. 种类太少
   B. 价格太高
   C. 数量很多
   D. 非常干净

5. A. 发音简单
   B. 大家都这样
   C. 喜欢中文名字
   D. 没有英文名字

泛听部分 ▶

锻炼身体的最佳时间

🎧 **词 语**

17-8

1. 呼吸	hūxī	v.	4. 高峰期	gāofēngqī	n.
2. 消除	xiāochú	v.	5. 污染	wūrǎn	v.
3. 疲劳	píláo	adj.			

🎧 **练 习**

17-9

连续听两遍录音，边听边填空。

Listen to the recording twice in succession. Fill in the blanks while listening.

1. 多年来，人们习惯于_____起来呼吸新鲜空气，活动活动，_____后散散步消除一天的疲劳。

2. 一般情况下空气污染每天有两个高峰期，一个是_____前，一个是_____，特别是冬天。

3. 每天上午_____左右和下午_____左右空气比较洁净，是一天中两个最佳时间。

第十八课 | 你别把孩子累着

精听部分 ▶

词语

18-1

1. 孙女儿	sūnnǚr	n.	8. 名牌儿	míngpáir	n.
2. 坏处	huàichù	n.	9. 专业	zhuānyè	n.
3. 家具	jiājù	n.	10. 考研	kǎo yán	v.
4. 演讲	yǎnjiǎng	v.	11. 材料	cáiliào	n.
5. 理发	lǐ fà	v.	12. 开夜车	kāi yèchē	
6. 冠军	guànjūn	n.	13. 惯	guàn	v.
7. 高考	gāokǎo	n.	14. 恢复	huīfù	v.

专名

1. 青年路	Qīngnián Lù	3. 花园路	Huāyuán Lù
2. 龙泉小区	Lóngquán Xiǎoqū	4. 东兴小区	Dōngxīng Xiǎoqū

练习

你别把孩子累着

一、连续听两遍录音，然后选择正确答案。
18-2
Listen to the recording twice in succession, and then choose the right answers.

1. 今天星期几?
   A. 星期四
   B. 星期五
   C. 星期六
   D. 星期天

2. 根据对话，下列哪项不正确?
   A. 男的是海兰的爸爸
   B. 甜甜是男的的女儿
   C. 甜甜是一个女孩子
   D. 海兰是甜甜的妈妈

3. 甜甜今天要做什么？   4. 男的对甜甜上舞蹈班是什么态度？
   A. 上辅导班   A. 非常支持
   B. 在家学习   B. 比较支持
   C. 去奶奶家   C. 比较反对
   D. 在家里玩儿   D. 没有意见

5. 海兰觉得甜甜上舞蹈班怎么样？
   A. 有意思
   B. 没有用
   C. 没坏处
   D. 很辛苦

二、再听一遍录音，然后回答下列问题。

18-2

Listen to the recording again, and then answer the following questions.

1. 甜甜为什么不能去男的家？

2. 甜甜上了哪些辅导班？

3. 男的觉得上舞蹈班怎么样？

4. 男的担心什么？

三、说一说。

Talk about it.

谈谈你对这件事的看法。

我想搬家

一、连续听两遍录音，然后判断下列句子的正误。

18-3

Listen to the recording twice in succession. Then decide whether the following sentences are right (√) or wrong (×).

1. 女的在给搬家公司打电话。   (   )

2. 女的想下周一搬家。   (   )

3. 女的现在住在花园路。   (   )

4. 女的要搬到东兴小区去。   (   )

5. 女的现在住的地方离要搬的地方不太远。 (   )

6. 女的现在住在三楼。   (   )

7. 女的家具很少，只有一张单人床、一套桌椅。　　（　　　）

8. 女的这次搬家要花 186 块钱。　　　　　　　　　（　　　）

9. 男的周五一定会给女的打电话。　　　　　　　　（　　　）

10. 女的电话是 88368166。　　　　　　　　　　　　（　　　）

二、再听一遍录音，然后回答下列问题。

18-3

Listen to the recording again, and then answer the following questions.

1. 介绍一下女的的情况。

2. 你觉得男的的态度怎么样？

三、说一说。

Talk about it.

你要是搬家的话，一般会怎么做？为什么？

必须站着

一、连续听两遍录音，然后回答下列问题。

18-4

Listen to the recording twice in succession. Then answer the following questions.

1. 马克·吐温在演讲之前去了什么地方？

2. 马克·吐温喜欢这个城市吗？

3. 理发师告诉马克·吐温一件什么事？

4. 听到马克·吐温的回答，理发师为什么觉得很可惜？

5. 理发师喜欢马克·吐温吗？他认识马克·吐温吗？

6. 根据这段话，我们可以知道，马克·吐温的演讲怎么样？

二、复述这个小故事。

Retell the story.

三、再听一遍录音，边听边填空。

18-4

Listen to the recording again. Fill in the blanks while listening.

1. 马克·吐温有一次到一个小城市演讲，他决定在演讲之前先_____。

2. 那您只好站着听了，因为那里不会有_____的。

3. 和马克·吐温在一起可真_____，他一演讲我就必须站着。

新 HSK 实战演练

18-5 一、根据你所听到的，判断句子的正误（对的画√，错的画×）
Decide whether the following sentences are right (√) or wrong (×) according to what you hear.

1. 他已经结婚了。 （　　）
2. 小丽很喜欢笑。 （　　）
3. 这种西瓜不比别的西瓜好。 （　　）
4. 他很想去西安工作。 （　　）
5. 这种水平能拿冠军。 （　　）

18-6 二、根据对话，选择正确答案。
Choose the right answers according to the dialogues.

1. A. 听了就烦
   B. 第一次听
   C. 很喜欢听
   D. 听了 100 遍

2. A. 很喜欢学习
   B. 一年后毕业
   C. 想快点儿工作
   D. 认为工作很累

3. A. 很好
   B. 较好
   C. 一般
   D. 较差

4. A. 后天
   B. 明天
   C. 今天
   D. 昨天

5. A. 非常瘦
   B. 去医院了
   C. 经常跑步
   D. 身体不好

6. A. 要和男的比赛
   B. 是篮球专业的
   C. 打球没男的好
   D. 打球打得不好

7. A. 他们不打算考了
   B. 女的坚持要考研
   C. 现在工作很好找
   D. 男的一直没复习

8. A. 每天做饭
   B. 经常做饭
   C. 很少做饭
   D. 从不做饭

9. A. 是个学生
   B. 想去旅行
   C. 想在家里
   D. 打算学习

10. A. 开车
    B. 工作
    C. 发言
    D. 睡觉

三、根据你所听到的，选择正确答案。

18-7

Choose the right answers according to what you hear.

1. A. 男的
   B. 自己
   C. 张颜
   D. 李丽

2. A. 习惯
   B. 教育
   C. 性格
   D. 学习

3. A. 病得厉害
   B. 胖了不少
   C. 锻炼太少
   D. 在家休息

4. A. 惊喜
   B. 失望
   C. 不满
   D. 伤心

5. A. 非常好
   B. 比较好
   C. 不太好
   D. 不清楚

泛听部分 ▶

感冒了该怎么办

 词 语

18-8

1. 建议	jiànyì	v.	4. 超过	chāoguò	v.
2. 毫升	háoshēng	m.	5. 治疗	zhìliáo	v.
3. 肾	shèn	n.	6. 影响	yǐngxiǎng	n.

连续听两遍录音，边听边填空。

Listen to the recording twice in succession. Fill in the blanks while listening.

1. 每当我们感冒时，常会听到有人说："多_____，对感冒有好处。"

2. 一次喝一杯左右的水，不要超过_____毫升。

3. 除了要注意多喝水以外，还要好好儿休息，按时_____。

第十九课 | 再也不能让自己后悔了

 精 听 部 分 ▶

 词 语

19-1

1. 惦记　　diànjì　　v.
2. 时差　　shíchā　　n.
3. 脑血栓　nǎoxuèshuān　n.
4. 孤单　　gūdān　　adj.
5. 拍戏　　pāi xì　　v.
6. 后悔　　hòuhuǐ　　v.

7. 一辈子　yíbèizi　　n.
8. 蘑菇　　mógu　　n.
9. 幸亏　　xìngkuī　　adv.
10. 熬夜　　áo yè　　v.
11. 打哈欠　dǎ hāqian

练 习

再也不能让自己后悔了

一、连续听两遍录音，然后选择正确答案。

19-2

Listen to the recording twice in succession, and then choose the right answers.

1. 女的妈妈多大年纪了?
   A. 62 岁
   B. 68 岁
   C. 82 岁
   D. 86 岁

2. 女的妈妈为什么一直住在济宁的一家医院里?
   A. 医生水平高
   B. 服务态度好
   C. 医院收费低
   D. 地理位置好

3. 女的是做什么工作的?
   A. 医生
   B. 歌手
   C. 演员
   D. 记者

4. 出国的时候，女的为什么两三天才给妈妈打一次电话?
   A. 有时差
   B. 话费贵
   C. 工作忙
   D. 信号差

5. 平时陪妈妈时间最多的是谁?
    A. 爸爸
    B. 哥哥
    C. 姐姐
    D. 自己

二、再听一遍录音,然后回答下列问题。

19-2

Listen to the recording again, and then answer the following questions.

1. 女的这次为什么回北京?
2. 女的有时间的话会做什么?
3. 女的常常想家吗? 为什么?
4. 女的妈妈得的是什么病? 身体怎么样?
5. 女的爸爸是哪一年去世的?
6. 女的后悔什么? 和以前比,她现在有什么变化?

年轻人有自己的想法

一、连续听两遍录音,然后判断下列句子的正误。

19-3

Listen to the recording twice in succession. Then decide whether the following sentences are right (√) or wrong (×).

1. 老王带着孙子在外面散步。   (   )
2. 老王的孙女儿长得很漂亮。   (   )
3. 李红很羡慕老王。   (   )
4. 李红有一个女儿,已经结婚了。   (   )
5. 李红一说起孩子的事就头疼。   (   )
6. 李红的女儿不想活了。   (   )
7. 现在的年轻人都不喜欢要孩子。   (   )
8. 李红的女儿还没决定到底要不要孩子。   (   )
9. 现在像李红的女儿这样的人也不少。   (   )
10. 李红拿她女儿没办法。   (   )

二、再听一遍录音，然后回答下列问题。

19-3

Listen to the recording again, and then answer the following questions.

1. 李红为什么对女儿有意见？

2. 关于孩子的问题，李红的女儿有什么打算？为什么？

3. 老王对年轻人有什么看法？

4. 李红打算怎么办？

三、说一说。

Talk about it.

关于要不要孩子的问题，谈谈你的看法。

有两下子

一、连续听两遍录音，然后回答下列问题。

19-4

Listen to the recording twice in succession. Then answer the following questions.

1. 玛丽到餐馆吃饭的时候，她想吃什么？

2. 玛丽是怎么告诉服务员的？

3. 服务员看了玛丽的画儿有什么反应？

4. 玛丽觉得自己的画儿画得怎么样？

5. 服务员给玛丽拿来了什么？为什么？

6. 根据这段话，我们可以知道，玛丽画画儿怎么样？

二、复述这个小故事。

Retell the story.

新 HSK 实战演练

一、根据你所听到的，判断句子的正误（对的画√，错的画 × ）。

19-5

Decide whether the following sentences are right (√) or wrong (×) according to what you hear.

1. 他已经醉了。 （   ）

2. 他的孩子很早就开始学钢琴了。 （   ）

3. 他很喜欢这样的歌。 （   ）

4. 他不喜欢旅行。 ( )

5. 大家都很喜欢他。 ( )

19-6

二、根据对话，选择正确答案。

Choose the right answers according to the dialogues.

1. A. 不喜欢打球
   B. 马上要回家
   C. 马上去吃饭
   D. 今天要加班

2. A. 自己喜欢
   B. 妈妈让学
   C. 喜欢女的
   D. 老师让学

3. A. 结婚了也有孩子
   B. 结婚了但没孩子
   C. 没结婚但有孩子
   D. 没结婚也没孩子

4. A. 不满
   B. 高兴
   C. 难过
   D. 失望

5. A. 比以前老了
   B. 比以前好了
   C. 比以前差了
   D. 和以前一样

6. A. 环境
   B. 大小
   C. 价格
   D. 位置

7. A. 庆幸
   B. 伤心
   C. 羡慕
   D. 可惜

8. A. 当然是
   B. 可能是
   C. 不知道
   D. 想知道

9. A. 非常感兴趣
   B. 比较感兴趣
   C. 不太感兴趣
   D. 很不感兴趣

10. A. 十点多
    B. 四点多
    C. 两点多
    D. 一点多

19-7

三、根据你所听到的，选择正确答案。

Choose the right answers according to what you hear.

1. A. 李强妈妈反对他们
   B. 李强比杨兰大两岁
   C. 李强和杨兰结婚了
   D. 李强和杨兰分手了

2. A. 挺差的
   B. 很一般
   C. 不太好
   D. 非常好

3. A. 经常感冒
   B. 从不感冒
   C. 经常锻炼
   D. 身体很好

4. A. 最近工作不忙
   B. 最近一直很累
   C. 周末想去打球
   D. 周末还要工作

5. A. 老师
   B. 研究生
   C. 大学生
   D. 儿子的女朋友

泛听部分 ▶

上班族的胃

🎧 **词 语**
19-8

1. 调查	diàochá	n./v.	4. 规律	guīlǜ	adj.
2. 胃	wèi	n.	5. 饮食	yǐnshí	n.
3. 家常便饭	jiācháng biànfàn		6. 保护	bǎohù	v.

练 习

🎧 一、连续听两遍录音，从 A—D 中为调查项目选择正确的百分比。
19-9
Listen to the recording twice in succession. For each of the three items in the left column, select the corresponding percentage out of the four choices on the right.

1. 生活、吃饭不规律	（ ）	A. 11.14%	
2. 工作压力大	（ ）	B. 5.73%	
3. 工作时间长、经常加班	（ ）	C. 59.97%	
		D. 59.73%	

二、再听一遍录音，边听边填空。

19-9 Listen to the recording again. Fill in the blanks while listening.

1. 调查显示，_____以上"上班族"胃不好，尤其是中青年"上班族"。

2. 专家指出工作压力大、吃饭不定时、饮食不科学、生活不_____都容易引起胃病。

3. 把好"入口"关、养成规律的生活_____是保护胃的基础。

三、说一说。

Talk about it.

为了防治胃病，我们要注意什么？

第二十课 | 一定得让他赢

词 语

20-1

1. 象棋	xiàngqí	n.		7. 剪	jiǎn	v.
2. 决赛	juésài	n.		8. 顺便	shùnbiàn	adv.
3. 犯	fàn	v.		9. 充值	chōng zhí	v.
4. 故意	gùyì	adv.		10. 就餐	jiùcān	v.
5. 设计师	shèjìshī	n.		11. 健身	jiànshēn	v.
6. 夸奖	kuājiǎng	v.				

练 习

一定得让他赢

20-2
一、连续听两遍录音，然后选择正确答案。

Listen to the recording twice in succession, and then choose the right
answers.

1. 明天男的要参加什么比赛？
   A. 单位的足球比赛
   B. 小区的象棋比赛
   C. 市级的足球比赛
   D. 5 号楼的象棋比赛

2. 男的觉得明天的比赛他会怎么样？
   A. 一定能赢
   B. 可能能赢
   C. 可能会输
   D. 一定会输

3. 女的想让男的干什么？
   A. 别去比赛
   B. 一定要赢
   C. 让着刘叔
   D. 注意身体

4. 女的为什么让男的那样做？
   A. 刘叔身体不好
   B. 男的有心脏病
   C. 明天天气不好
   D. 赢了能得大奖

5. 男的决定明天怎么做？

    A. 赢了刘叔

    B. 不去比了

    C. 输给刘叔

    D. 带着药去

二、再听一遍录音，然后回答下列问题。

20-2

Listen to the recording again, and then answer the following questions.

1. 开始时男的为什么让女的放心？

2. 女的担心什么？

3. 刘叔是谁？介绍一下他的情况。

4. 男的刚开始为什么不同意女的的要求？

5. 男的后来同意了吗？为什么？

理 发

一、连续听两遍录音，然后选择正确答案。

20-3

Listen to the recording twice in succession, and then choose the right answers.

1. 他们是在什么地方谈话的？

    A. 超市

    B. 商场

    C. 理发店

    D. 设计院

2. 男的要找的设计师可能多大了？

    A. 二十岁

    B. 十八九岁

    C. 二十一二岁

    D. 二十八九岁

3. 男的要找哪一位设计师？

    A. 姓李的、年轻女的

    B. 姓李的、年轻男的

    C. 姓李的、年纪大的

    D. 姓李的、男女都可以

4. 根据对话，可以知道什么？

    A. 男的很喜欢逛街

    B. 女的理发水平低

    C. 男的很在乎外表

    D. 他的妻子很满意

二、再听一遍录音，然后回答下列问题。

20-3

Listen to the recording again, and then answer the following questions.

1. 男的和那位设计师是怎么认识的？

2. 男的为什么一定要找那位设计师？

3. 关于男的，可以知道什么？

4. 关于男的的妻子，可以知道什么？

5. 关于理发店的设计师，可以知道什么？

真心称赞

20-4 一、连续听两遍录音，然后回答下列问题。

Listen to the recording twice in succession. Then answer the following questions.

1. 谁要作身体检查？

2. 说话人相信医生说的话吗？

3. 医生说的话是真的吗？

4. 说话人的孩子怎么样？

5. 医生怎么夸奖不同的孩子？

20-4 二、再听一遍录音，边听边填空。

Listen to the recording again. Fill in the blanks while listening.

1. 医生_____后对我说："你的孩子长得真漂亮。"

2. 他说："哪儿呀，孩子真的_____，我_____会称赞。"

3. 我问："那么对_____的父母，你怎么说呢？"

新 HSK 实战演练

20-5 一、根据你所听到的，判断句子的正误（对的画√，错的画 ×）。

Decide whether the following sentences are right (√) or wrong (×) according to what you hear.

1. 他是英国人。　　　　　　　　(　　)

2. 他觉得自己太胖了。　　　　　　(　　)

3. 他写完作业才睡的。　　　　　　(　　)

4. 他今天晚上要工作。　　　　　　(　　)

5. 他对这件衣服非常满意。　　　　(　　)

二、根据对话，选择正确答案。

20-6

Choose the right answers according to the dialogues.

1. A. 非常精神
   B. 不适合他
   C. 有点儿长
   D. 非常时尚

2. A. 馒头
   B. 米饭
   C. 面条
   D. 包子

3. A. 很不错
   B. 很一般
   C. 非常差
   D. 不清楚

4. A. 他们迟到了
   B. 上午有讲座
   C. 他们没座位
   D. 王教授很受欢迎

5. A. 做妈妈了
   B. 以前很胖
   C. 老了很多
   D. 没有变化

6. A. 回国了
   B. 在学习
   C. 工作了
   D. 结婚了

7. A. 取钱
   B. 充值
   C. 买手机
   D. 打电话

8. A. 恋人
   B. 师生
   C. 同事
   D. 母子

9. A. 服务
   B. 卫生
   C. 价格
   D. 味道

10. A. 别人都不去
    B. 男的必须去
    C. 男的不会去
    D. 别人都要去

三、根据你所听到的，选择正确答案。

20-7

Choose the right answers according to what you hear.

1. A. 坐地铁
   B. 坐电车
   C. 坐出租车
   D. 坐公交车

2. A. 羡慕
   B. 高兴
   C. 生气
   D. 难过

3. A. 8 折
   B. 9 折
   C. 88 折
   D. 95 折

4. A. 上海
   B. 南京
   C. 苏州
   D. 杭州

5. A. 高兴
   B. 难过
   C. 后悔
   D. 无奈

泛 听 部 分 ▶

睡眠问题

20-8

1. 睡眠不足	shuìmián bùzú		5. 减少	jiǎnshǎo	v.
2. 降低	jiàngdī	v.	6. 补充	bǔchōng	v.
3. 效率	xiàolǜ	n.	7. 增加	zēngjiā	v.
4. 伤害	shānghài	v.	8. 睡具	shuìjù	n.

练习

20-9

连续听两遍录音，边听边填空。

Listen to the recording twice in succession. Fill in the blanks while listening.

1. _____几乎是现代人普遍存在的问题。

2. 很多人习惯熬夜，往往凌晨_____才上床睡觉，然后睡到中午甚至_____才起床。

3. 对于连续上夜班的人来说，应当适当增加_____的睡眠时间，但_____下午的睡眠时间也不要超过 3 个小时。

4. 要想有好的睡眠，除了保证时间外，还要注意睡具和_____。

单元测试（五）

第一部分

一、根据你所听到的，判断句子的正误（对的画√，错的画 ×）。

20T-1

Decide whether the following sentences are right (√) or wrong (×) according to what you hear.

1. 他觉得这条牛仔裤有点儿短。　　　　　（　　）
2. 他会说四种语言。　　　　　　　　　　（　　）
3. 王强三十多了，还没结婚。　　　　　　（　　）
4. 以后他会努力。　　　　　　　　　　　（　　）
5. 王丽常常生气。　　　　　　　　　　　（　　）

二、根据对话，选择正确答案。

20T-2

Choose the right answers according to the dialogues.

1. A. 4 号放假
   B. 8 号放假
   C. 男的相信了
   D. 男的不知道

2. A. 吃饭
   B. 买菜
   C. 拿报纸
   D. 买馒头

3. A. 别人都不参加
   B. 女的必须参加
   C. 女的不会参加
   D. 别人都要参加

4. A. 爸爸
   B. 妈妈
   C. 姐姐
   D. 爷爷

5. A. 9 折
   B. 85 折
   C. 88 折
   D. 95 折

6. A. 刚刚工作
   B. 早工作了
   C. 还没毕业
   D. 刚刚毕业

7. A. 买词典
   B. 还词典
   C. 借词典
   D. 要词典

8. A. 很有希望
   B. 还有希望
   C. 没有希望
   D. 还不知道

9. A. 失望
   B. 庆幸
   C. 激动
   D. 难过

10. A. 和以前一样
    B. 比以前胖了
    C. 比以前瘦了
    D. 比以前老了

20T-3

三、根据你所听到的，选择正确答案。
Choose the right answers according to what you hear.

1. A. 没有通过初赛
   B. 高兴得太早了
   C. 初赛表现不错
   D. 不能参加决赛

2. A. 买机票
   B. 买船票
   C. 买火车票
   D. 买汽车票

3. A. 王刚水平高
   B. 王刚水平低
   C. 他俩差不多
   D. 自己水平低

4. A. 很有信心
   B. 还没复习
   C. 没考过试
   D. 通过了考试

5. A. 游泳
   B. 打球
   C. 骑车
   D. 收礼物

第二部分

20T-4 一、连续听两遍录音，然后判断下列句子的正误。

Listen to the recording twice in succession. Then decide whether the following sentences are right (√) or wrong (×).

1. 女儿想参加《明日之星》这个选秀节目。 （　　）
2.《明日之星》是一个比赛跳舞的节目。 （　　）
3. 爸爸以为《明日之星》是学校搞的活动。 （　　）
4. 爸爸一开始同意女儿参加，后来又改变主意了。 （　　）
5. 爸爸觉得参加比赛要花好多钱，所以不同意。 （　　）
6. 女儿是个学声乐的大学生。 （　　）
7. 女儿觉得这次机会很难得。 （　　）
8. 妈妈不同意女儿参加比赛。 （　　）
9. 爸爸觉得妈妈不会同意这件事。 （　　）
10. 爸爸最后同意女儿参加了。 （　　）

20T-4 二、再听一遍录音，然后回答下列问题。

Listen to the recording again, and then answer the following questions.

1. 爸爸为什么不同意女儿报名参加比赛？
2. 女儿为什么想报名参加比赛？
3. 妈妈同意女儿报名参加比赛吗？
4. 爸爸答应女儿什么事？
5. 你觉得爸爸的做法对吗？

三、说一说。

Talk about it.

谈谈你对电视选秀节目的看法。

第二十一课 | 跟你商量件事

精 听 部 分 ▶

词 语

1. 万一	wànyī	conj.	7. 奖金	jiǎngjīn	n.
2. 降价	jiàng jià	v.	8. 外观	wàiguān	n.
3. 贷款	dàikuǎn	n./v.	9. 流口水	liú kǒushuǐ	
4. 挤	jǐ	v.	10. 咬	yǎo	v.
5. 凑	còu	v.	11. 染（发）	rǎn (fà)	v.
6. 股市	gǔshì	n.	12. 包间	bāojiān	n.

练 习

跟你商量件事

一、连续听两遍录音，然后判断下列句子的正误。

Listen to the recording twice in succession. Then decide whether the following sentences are right (√) or wrong (×).

1. 女儿想跟爸爸商量点儿事，爸爸不想听。 （　　）
2. 爸爸想让女儿跟妈妈商量，因为他没意见。 （　　）
3. 妈妈还不知道女儿要说的事。 （　　）
4. 爸爸觉得女儿要说的不是什么好事。 （　　）
5. 女儿寒假想和好朋友一起出去玩儿。 （　　）
6. 女儿想和好朋友一起去爬黄山。 （　　）
7. 爸爸觉得爬山很危险，所以没有同意。 （　　）
8. 女儿觉得没什么危险的，因为她已经长大了。 （　　）
9. 女儿已经是大学生了。 （　　）
10. 女儿最后改变了主意，她不想去玩儿了。 （　　）

二、再听一遍录音，然后回答下列问题。

21-2

Listen to the recording again, and then answer the following questions.

1. 在家里，谁说了算？
2. 爸爸对女儿出去玩儿的态度前后有什么变化？
3. 爸爸担心什么？

三、说一说。

Talk about it.

如果你是爸爸，会同意女儿的要求吗？谈谈你对这件事的看法。

最近汽车又降价了

一、连续听两遍录音，然后选择正确答案。

21-3

Listen to the recording twice in succession, and then choose the right answers.

1. 男的想买车，最重要的原因是什么？
   A. 汽车降价了
   B. 现在有钱了
   C. 女的太辛苦
   D. 贷款还清了

2. 关于买车的钱从哪里来，下面哪一项不正确？
   A. 奖金
   B. 股票
   C. 向爸妈借
   D. 银行贷款

3. 男的最看重车的哪个方面？
   A. 油耗
   B. 外观
   C. 价格
   D. 安全

4. 女的的老毛病是什么？
   A. 看重外表
   B. 爱乱花钱
   C. 脾气很坏
   D. 性子太急

5. 根据对话，下列哪项不正确？
   A. 女的毛病很多
   B. 贷款还要还很久
   C. 女的每天坐公交车
   D. 男的和女的是夫妻

二、再听一遍录音，然后回答下列问题。

21-3

Listen to the recording again, and then answer the following questions.

1. 他们买房子的钱是从哪里来的？

2. 男的对女的怎么样？

3. 男的选车的要求是什么？

4. 女的选车的要求是什么？

三、说一说。

Talk about it.

你买车的话，会考虑哪些方面？为什么？

下车我还要换回来呢

一、连续听两遍录音，然后回答下列问题。

21-4

Listen to the recording twice in succession. Then answer the following questions.

1. 小明坐的公交车怎么样？

2. 小女孩儿对小明说了什么？

3. 小明为什么把座位让给了小女孩儿？

4. 小明吃苹果了吗？为什么？

5. 你觉得接下来会发生什么事？

二、再听一遍录音，边听边填空。

21-4

Listen to the recording again. Fill in the blanks while listening.

1. 小明坐公交车去上学，早上七点多的时候，车上人多得_____。

2. 小明看到小女孩儿手中红红的苹果，口水都_____出来了。

3. 小明_____苹果，正准备大咬一口。

4. 别吃，下车我还要_____回来呢。

新 HSK 实战演练

21-5 一、根据你所听到的，判断句子的正误（对的画√，错的画 ✕ ）。
Decide whether the following sentences are right (√) or wrong (✕) according to what you hear.

1. 这儿的天气比北京热。 （　　）
2. 他觉得这部电影很好。 （　　）
3. 他最想 10 月去上海。 （　　）
4. 他觉得现在堵车很正常。 （　　）
5. 王老师的男朋友是运动员。 （　　）

21-6 二、根据对话，选择正确答案。
Choose the right answers according to the dialogues.

1. A. 女的
   B. 男的
   C. 图书馆
   D. 其他人

2. A. 学校
   B. 京剧
   C. 找工作
   D. 短消息

3. A. 生病了
   B. 得奖了
   C. 做好事了
   D. 犯错误了

4. A. 孩子的教育
   B. 学习的方法
   C. 生气的坏处
   D. 孩子的生活

5. A. 支持
   B. 反对
   C. 犹豫
   D. 高兴

6. A. 同事
   B. 夫妻
   C. 朋友
   D. 同学

7. A. 闲着
   B. 睡觉
   C. 看电视
   D. 看电影

8. A. 早下班了
   B. 跑步去了
   C. 买到了东西
   D. 想去买东西

9. A. 旅馆
　 B. 饭店
　 C. 影院
　 D. 学校

10. A. 睡得很早
　　B. 考试没及格
　　C. 昨晚上网玩儿了
　　D. 昨晚玩儿游戏了

21-7　三、根据你所听到的，选择正确答案。
Choose the right answers according to what you hear.

1. A. 不满
　 B. 担心
　 C. 怀疑
　 D. 关心

2. A. 五点
　 B. 六点
　 C. 七点
　 D. 八点

3. A. 非常好
　 B. 很一般
　 C. 不太好
　 D. 很不好

4. A. 国内没有好大学
　 B. 出国留学比较好
　 C. 国外没有好大学
　 D. 在国内学习就行

5. A. 自己特别笨
　 B. 爬山很辛苦
　 C. 做研究很苦
　 D. 别人很聪明

泛听部分 ▶

乒乓球的由来

21-8

1. 乒乓球　　pīngpāngqiú　　n.
2. 起源　　　qǐyuán　　　　v.
3. 盛行　　　shèngxíng　　　v.
4. 场地　　　chǎngdì　　　　n.
5. 限制　　　xiànzhì　　　　v.
6. 锦标赛　　jǐnbiāosài　　　n.

专 名

1. 欧洲　　　Ōuzhōu　　　│　　2. 亚洲　　　Yàzhōu

练 习

21-9

连续听两遍录音，边听边填空。

Listen to the recording twice in succession. Fill in the blanks while listening.

1. 乒乓球起源于_____。

2. 乒乓球是由_____发展而来的。

3. 20 世纪初，乒乓球运动在欧洲和_____蓬勃发展。

4. 1926 年，在德国柏林举行了国际乒乓球邀请赛，后来被认为是_____世界乒乓球锦标赛。

5. 世界乒乓球锦标赛，开始时每年举行一次，1957 年后改为_____举行一次。

第二十二课 | 上网买多方便啊

词 语

22-1

1. 托	tuō	v.	7. 传染	chuánrǎn	v.
2. 订购	dìnggòu	v.	8. 歇	xiē	v.
3. 散	sàn	v.	9. 淋	lín	v.
4. 婚礼	hūnlǐ	n.	10. 出差	chū chāi	v.
5. 装修	zhuāngxiū	v.	11. 难得	nándé	adj.
6. 把手儿	bǎshour	n.			

练 习

上网买多方便啊

22-2

一、连续听两遍录音，然后判断下列句子的正误。

Listen to the recording twice in succession. Then decide whether the following sentences are right (√) or wrong (×).

1. 爸爸一直想买一本书，可买不着。　　　　　　　　（　　　）

2. 女儿现在在北京。　　　　　　　　　　　　　　　（　　　）

3. 爸爸想让女儿在网上给他买本书。　　　　　　　　（　　　）

4. 女儿没时间，所以让爸爸到网上买。　　　　　　　（　　　）

5. 爸爸以前没在网上买过东西。　　　　　　　　　　（　　　）

6. 爸爸不会上网买东西，也不想学。　　　　　　　　（　　　）

7. 女儿向爸爸介绍了上网购物的方法。　　　　　　　（　　　）

8. 爸爸本来以为上网购物很麻烦。　　　　　　　　　（　　　）

9. 爸爸生日的时候女儿为爸爸买了蛋糕。　　　　　　（　　　）

10. 女儿想让爸爸给她也买本书表示感谢。　　　　　　（　　　）

二、再听一遍录音，然后回答下列问题。

22-2

Listen to the recording again, and then answer the following questions.

1. 爸爸想让女儿帮什么忙？
2. 女儿让爸爸怎么做？为什么？
3. 怎样在网上购书？
4. 女儿在网上买过什么？
5. 女儿和爸爸的关系怎么样？
6. 爸爸是一个什么样的人？

三、说一说。

Talk about it.

你喜欢在网上购物吗？为什么？

什么时候喝你的喜酒啊

一、连续听两遍录音，然后选择正确答案。

22-3

Listen to the recording twice in succession, and then choose the right answers.

1. 李明和女的是什么关系？
   A. 朋友
   B. 兄妹
   C. 同事
   D. 同学

2. 开始听说李明不办婚礼，女的以为他怎么了？
   A. 分手了
   B. 生病了
   C. 没有钱
   D. 没时间

3. 李明和他女友可能谈了多长时间？
   A. 半年
   B. 一年
   C. 两年
   D. 好几年

4. 不办婚礼主要是谁的主意？
   A. 男的
   B. 男的父母
   C. 男的女友
   D. 女的父母

5. 李明他们为什么不想办婚礼了？
   A. 太累了
   B. 太忙了
   C. 太贵了
   D. 太麻烦

二、再听一遍录音，然后回答下列问题。

Listen to the recording again, and then answer the following questions.

1. 女的为什么以为李明和他女朋友散了？
2. 李明和他女朋友打算怎么结婚？
3. 李明最近在忙什么？
4. 女的对办婚礼这件事是什么态度？

三、说一说。

Talk about it.

谈谈你对办婚礼的看法。

怕传染

一、连续听两遍录音，然后回答下列问题。

Listen to the recording twice in succession. Then answer the following questions.

1. 第一个男的用的杯子是什么样的？
2. 第一个男的是怎么喝啤酒的？为什么？
3. 服务员看第一个男的喝啤酒的样子，觉得怎么样？
4. 服务员看到第二个男的喝啤酒为什么笑了？
5. 第二个男的为什么那样喝啤酒？

二、复述这个小故事。

Retell the story.

新 HSK 实战演练

一、根据你所听到的，判断句子的正误（对的画√，错的画 ×）。
22-5

Decide whether the following sentences are right (√) or wrong (×) according to what you hear.

1. 该休息了。 （　　）
2. 他对李丽非常满意。 （　　）
3. 他们公司现在有四十人。 （　　）
4. 刘伟今天没来。 （　　）
5. 他觉得王强应该会做这道题。 （　　）

二、根据对话，选择正确答案。
22-6

Choose the right answers according to the dialogues.

1. A. 没有问题
   B. 不太好说
   C. 不能不去
   D. 可以不去

2. A. 早就知道了
   B. 刚刚才知道
   C. 怪刘山不小心
   D. 怪刘山没上课

3. A. 不丰富
   B. 很轻松
   C. 很愉快
   D. 有意思

4. A. 师生
   B. 朋友
   C. 同事
   D. 父女

5. A. 走得很早
   B. 没坐班车
   C. 不想坐班车
   D. 刚好赶上车

6. A. 孩子
   B. 单位
   C. 房子
   D. 小学

7. A. 挪车子
   B. 骑车子
   C. 去市场
   D. 淋淋雨

8. A. 很年轻
   B. 不自信
   C. 很幽默
   D. 很失望

9. A. 孩子
   B. 丈夫
   C. 妈妈
   D. 爸爸

10. A. 很想试试
    B. 不太喜欢
    C. 水平太低
    D. 已经报了

22-7

三、根据你所听到的，选择正确答案。

Choose the right answers according to what you hear.

1. A. 同学
   B. 夫妻
   C. 师生
   D. 同事

2. A. 一遍
   B. 两遍
   C. 三遍
   D. 很多遍

3. A. 饭店
   B. 商店
   C. 银行
   D. 医院

4. A. 没听懂
   B. 没听清
   C. 没记住
   D. 不接受

5. A. 开店
   B. 计划
   C. 开公司
   D. 帮父亲

泛 听 部 分 ▶

现代足球运动

22-8

词 语

1. 项目   xiàngmù   n.
2. 宣布   xuānbù   v.
3. 优势   yōushì   n.

专 名

1. 奥运会   Àoyùnhuì
2. 国际足联   Guójì Zúlián
3. 丹麦   Dānmài
4. 希腊   Xīlà

练习

一、连续听两遍录音，从 A—D 四个答案中为每届奥运会选择出正确的足球项目冠军。

Listen to the recording twice in succession. For each of the three Olympic Games in the left column, select the corresponding soccer champion out of the four choices on the right.

1. 第一届奥运会　　　（　　）　　　　A. 英国
2. 第二届奥运会　　　（　　）　　　　B. 法国
3. 第三届奥运会　　　（　　）　　　　C. 丹麦
　　　　　　　　　　　　　　　　　　　D. 加拿大

二、再听一遍录音，边听边填空。

Listen to the recording again. Fill in the blanks while listening.

1. 现代足球运动在世界各国发展起来，始于_____。
2. 国际足联宣布，足球成为奥运会项目应从 1896 年_____奥运会时算起。
3. 国际足球联合会是在_____年成立的。

第二十三课 | 周末你有安排吗

词 语

23-1

1. 安排	ānpái	n./v.
2. 网恋	wǎngliàn	v.
3. 气色	qìsè	n.
4. 状态	zhuàngtài	n.
5. 中奖	zhòng jiǎng	v.
6. 心脏病	xīnzàngbìng	n.
7. 刺激	cìjī	v.
8. 假装	jiǎzhuāng	v.
9. 周到	zhōudào	adj.
10. 答案	dá'àn	n.
11. 过期	guò qī	v.

练习

周末你有安排吗

23-2

一、连续听两遍录音，然后判断下列句子的正误。

Listen to the recording twice in succession. Then decide whether the following sentences are right (√) or wrong (×).

1. 别人给女的安排好了她的婚礼。 （　　　）

2. 女的周末要花不少钱。 （　　　）

3. 女的要结婚了，心情不错。 （　　　）

4. 男的不记得见过李华。 （　　　）

5. 李华长得很漂亮。 （　　　）

6. 李华明天就要和网恋的男朋友结婚了。 （　　　）

7. 男的觉得对待网恋态度要认真。 （　　　）

8. 女的觉得李华明天结不成婚。 （　　　）

9. 李华对男朋友很满意。 （　　　）

10. 女的对李华的男朋友很好奇。 （　　　）

二、再听一遍录音，然后回答下列问题。

23-2

Listen to the recording again, and then answer the following questions.

1. 男的和女的是什么关系？

2. 男的对网恋是什么态度？

3. 女的对网恋是什么态度？

4. 男的让女的干什么？

5. 男的妈妈为什么总说他？

三、说一说。

Talk about it.

你对网恋是什么态度？

明天我就游泳去

一、连续听两遍录音，然后判断下列句子的正误。

23-3

Listen to the recording twice in succession. Then decide whether the following sentences are right (√) or wrong (×).

1. 女的最近一直很生气。　　　　　　　　（　　　）

2. 女的工作很忙，活儿很多，还没人管。　（　　　）

3. 不忙的时候，女的喜欢在家睡觉。　　　（　　　）

4. 睡觉能让女的精神状态变好。　　　　　（　　　）

5. 男的觉得女的锻炼得太少。　　　　　　（　　　）

6. 女的很喜欢运动。　　　　　　　　　　（　　　）

7. 男的认为只要锻炼精神就会好起来。　　（　　　）

8. 女的打算现在就去游泳。　　　　　　　（　　　）

9. 女的并不相信男的的话。　　　　　　　（　　　）

10. 男的对自己的想法很自信。　　　　　　（　　　）

二、再听一遍录音，然后回答下列问题。

23-3

Listen to the recording again, and then answer the following questions.

1. 女的最近怎么样？她这样多长时间了？

2. 女的最近忙不忙？有时间休息吗？

3. 女的不喜欢做什么？

4. 男的让女的做什么？

5. 女的打算做什么？

三、说一说。

Talk about it.

你现在感觉有压力吗？如果有，是什么压力？你一般怎么解决？

心脏病

一、连续听两遍录音，然后回答下列问题。

23-4

Listen to the recording twice in succession. Then answer the following questions.

1. 老太太多大年纪了？
2. 在老太太身上发生了什么事情？
3. 老太太的儿子为什么很着急？
4. 老太太的儿子是怎么解决这件事的？
5. 医生想了一个什么办法？
6. 医生为什么一下子摔倒了？
7. 医生最后怎么了？

二、复述这个小故事

Retell the story.

新 HSK 实战演练

一、根据你所听到的，判断句子的正误（对的画√，错的画 ×）。

23-5

Decide whether the following sentences are right (√) or wrong (×) according to what you hear.

1. 他在提醒别人报名。　　　　　　　（　　）
2. 他们在下棋。　　　　　　　　　　（　　）
3. 他在辅导孩子数学。　　　　　　　（　　）
4. 父母关心孩子的生活就行了。　　　（　　）
5. 他觉得很奇怪。　　　　　　　　　（　　）

二、根据对话，选择正确答案。

23-6   Choose the right answers according to the dialogues.

1. A. 她很了解李明　　　　　2. A. 车坏了
　　B. 李明可能会来　　　　　　B. 很害怕
　　C. 路上一定堵车　　　　　　C. 不服气
　　D. 李明不会来了　　　　　　D. 很高兴

3. A. 教室　　　　　　　　　4. A. 杭州
　　B. 商场　　　　　　　　　　B. 苏州
　　C. 医院　　　　　　　　　　C. 上海
　　D. 影院　　　　　　　　　　D. 苏杭

5. A. 闹钟坏了　　　　　　　6. A. 电影很火
　　B. 没上闹钟　　　　　　　　B. 没买到票
　　C. 起床晚了　　　　　　　　C. 票很好买
　　D. 身体不好　　　　　　　　D. 人不太多

7. A. 本子　　　　　　　　　8. A. 路上
　　B. 电脑　　　　　　　　　　B. 家里
　　C. 铅笔　　　　　　　　　　C. 车上
　　D. 钢笔　　　　　　　　　　D. 公司

9. A. 很不好意思　　　　　　10. A. 正在借书
　　B. 记错了时间　　　　　　　　B. 没有带钱
　　C. 她喜欢迟到　　　　　　　　C. 忘了交罚款
　　D. 她睡懒觉了　　　　　　　　D. 记错了时间

三、根据你所听到的，选择正确答案。

23-7   Choose the right answers according to what you hear.

1. A. 他们在食堂　　　　　　2. A. 二十多
　　B. 他们都不吃辣的　　　　　　B. 三十多
　　C. 女的不爱吃辣的　　　　　　C. 五十多
　　D. 这儿的菜都不辣　　　　　　D. 六十多

3. A. 开会
   B. 接人
   C. 去机场
   D. 赶火车

4. A. 明天
   B. 晚上
   C. 下班之前
   D. 五点之后

5. A. 兴趣
   B. 成功
   C. 赚钱
   D. 生意

泛听部分 ▶

姚　明

词　语

23-8

1. 主力　　zhǔlì　　n.
2. 业余　　yèyú　　adj.
3. 成熟　　chéngshú　　adj.
4. 中锋　　zhōngfēng　　n.
5. 首轮　　shǒulún　　n.

专　名

1. 姚明　　Yáo Míng
2. 哈里篮球队　　Hālǐ Lánqiúduì
3. 休斯顿火箭队　　Xiūsīdùn Huǒjiànduì

练　习

23-9

连续听两遍录音，从 A — F 六个答案中为姚明不同年龄的经历选择出正确答案

Listen to the recording twice in succession. For each of the six ages in the left column, select the corresponding experience of Yao Ming out of the six choices on the right.

1. 4 岁　（　）　　A. 知道了 NBA
2. 6 岁　（　）　　B. 入选国家队
3. 9 岁　（　）　　C. 得到第一个篮球
4. 14 岁　（　）　　D. 入选国家青年队
5. 17 岁　（　）　　E. 进入上海青年队
6. 18 岁　（　）　　F. 开始接受业余训练

第二十四课 | 你要配眼镜吗

精听部分 ▶

🎧 词语

24-1

1. 配	pèi	v.
2. 度数	dùshu	n.
3. 框架	kuàngjià	n.
4. 柜台	guìtái	n.
5. 超薄	chāo báo	
6. 厚	hòu	adj.
7. 博士	bóshì	n.
8. 留校	liú xiào	

9. 通宵	tōngxiāo	n.
10. 登机	dēngjī	v.
11. 面试	miànshì	v.
12. 正式	zhèngshì	adj.
13. 佩服	pèifú	v.
14. 优惠券	yōuhuìquàn	n.
15. 省	shěng	v.

练习

你要配眼镜吗

🎧 一、连续听两遍录音，然后判断下列句子的正误。

24-2

Listen to the recording twice in succession. Then decide whether the following sentences are right (√) or wrong (×).

1. 男的的视力还和以前一样。 （　）

2. 男的想配一副框架眼镜，只换镜架就行。 （　）

3. 因为男的的镜架早就过时了，所以他想换个新的。 （　）

4. 男的的眼睛有 100 多度。 （　）

5. 因为男的的眼睛度数太高，所以店里没有合适的镜架。 （　）

6. 因为没有合适的镜架，所以售货员建议他配隐形眼镜。 （　）

7. 男的以前戴过隐形眼镜，后来觉得麻烦就不戴了。 （　）

8. 男的觉得自己年纪大了，戴隐形眼镜不漂亮。 （　）

9. 男的觉得隐形眼镜对眼睛不好，所以不想配。 （　）

10. 售货员建议男的配两副隐形眼镜。 （　）

二、再听一遍录音，然后回答下列问题。
24-2
Listen to the recording again, and then answer the following questions.

1. 男的为什么想换镜架？
2. 男的的视力怎么样？
3. 男的为什么不能选细的镜架？
4. 售货员为什么建议男的配隐形眼镜？
5. 男的接受售货员的建议了吗？为什么？
6. 你觉得这个售货员怎么样？

越忙越胖

一、连续听两遍录音，然后判断下列句子的正误。
24-3
Listen to the recording twice in succession. Then decide whether the following sentences are right (√) or wrong (×).

1. 男的和女的以前是同学。　　　　　　　　（　　）
2. 男的今年一直不太忙，所以胖了。　　　　（　　）
3. 男的以前的专业是计算机。　　　　　　　（　　）
4. 男的这次是专门来看老同学的。　　　　　（　　）
5. 女的现在是大学老师。　　　　　　　　　（　　）
6. 女的没时间羡慕男的。　　　　　　　　　（　　）
7. 男的一个人就把项目的材料准备好了。　　（　　）
8. 男的觉得现在的工作不适合自己，所以想换工作。（　　）
9. 男的以后也想当大学老师。　　　　　　　（　　）

二、再听一遍录音，然后回答下列问题。
24-3
Listen to the recording again, and then answer the following questions.

1. 男的做什么工作？
2. 男的这次来做什么？
3. 男的觉得自己的工作怎么样？
4. 男的将来想做什么？
5. 对于男的的工作，女的有什么看法？

三、说一说。

Talk about it.

你喜欢什么样的工作？为什么？

我唱歌去了

🎧 24-4

一、连续听两遍录音，然后回答下列问题。

Listen to the recording twice in succession. Then answer the following questions.

1. 李华的老公是哪国人？
2. 李华听大卫说他要出去做什么？
3. 李华开始时同意大卫去吗？为什么？
4. 李华后来为什么又同意大卫去了？
5. 等大卫回来，李华问了他什么？
6. 大卫是怎么回答李华的？
7. 李华最后明白了什么？

二、说一说。

Talk about it.

你有没有因为发音不准闹出过误会？如果有，谈谈你的经历。

新 HSK 实战演练

🎧 24-5

一、根据你所听到的，判断句子的正误（对的画√，错的画 ×）。

Decide whether the following sentences are right (√) or wrong (×) according to what you hear.

1. 他们打算继续逛街。 （　　）
2. 他打算买这个电视。 （　　）
3. 他觉得自己长得太慢。 （　　）
4. 丽丽很适合当老师。 （　　）
5. 他最近很忙。 （　　）

二、根据对话，选择正确答案。

24-6

Choose the right answers according to the dialogues.

1. A. 房子
   B. 孩子
   C. 回家
   D. 老人

2. A. 饭菜
   B. 打扫
   C. 修理
   D. 洗碗

3. A. 凌晨近四点
   B. 下午四点多
   C. 晚上近十点
   D. 上午十点多

4. A. 面试
   B. 约会
   C. 相亲
   D. 开会

5. A. 不想去
   B. 不复习
   C. 是老师
   D. 有考试

6. A. 星期二
   B. 星期三
   C. 星期四
   D. 星期六

7. A. 不太高
   B. 像爸爸
   C. 比爸爸高
   D. 跟爸爸一样高

8. A. 电影马上开演
   B. 车完全没油了
   C. 他们不想出去
   D. 现在路上堵车

9. A. 减肥
   B. 健康
   C. 比赛
   D. 工作

10. A. 突然发高烧
    B. 在家陪孩子
    C. 去医院看孩子
    D. 带孩子看病了

三、根据你所听到的，选择正确答案。

24-7

Choose the right answers according to what you hear.

1. A. 庆幸
   B. 可惜
   C. 犹豫
   D. 怀疑

2. A. 李丽一定知道
   B. 李丽可能知道
   C. 李丽也不知道
   D. 大家都不知道

3. A. 女的想法很不错
   B. 工作轻松最重要
   C. 想知道能去哪儿找
   D. 这样的工作找不到

4. A. 学校
   B. 邮局
   C. 修车的
   D. 洗车的

5. A. 受伤了
   B. 生病了
   C. 爱好唱歌
   D. 丈夫病了

泛听部分 ▶

邓亚萍

词语

24-8

1. 选手	xuǎnshǒu	n.	6. 蝉联	chánlián	v.
2. 获得	huòdé	v.	7. 传统	chuántǒng	adj.
3. 乒坛	pīngtán	n.	8. 观念	guānniàn	n.
4. 排名	páimíng	n.	9. 退役	tuìyì	v.
5. 连续	liánxù	v.	10. 学位	xuéwèi	n.

专名

1. 邓亚萍　Dèng Yàpíng
2. 清华大学　Qīnghuá Dàxué
3. 诺丁汉大学　Nuòdīnghàn Dàxué
4. 剑桥大学　Jiànqiáo Dàxué

练习

24-9

一、连续听两遍录音，边听边填空。

Listen to the recording twice in succession. Fill in the blanks while listening.

1.（邓亚萍）在乒坛世界排名连续_____年第一，是排名世界第一时间最长的女运动员；成为第_____位蝉联奥运会乒乓球冠军的运动员。

2. 身高只有_____米的她，改变了世界乒坛只选高个子运动员的传统观念。

3.1997 年退役后她先后进入清华大学、英国诺丁汉大学、剑桥大学学习并最终获得_____学位。

二、说一说。

Talk about it.

了解一下你身边的中国人对邓亚萍的看法，并在课堂上汇报。

单元测试（六）

第一部分

一、根据你所听到的，判断句子的正误（对的画√，错的画 ×）。

24T-1 Decide whether the following sentences are right (√) or wrong (×) according to what you hear.

1. 他打算坐飞机去上海。 （　　）
2. 王刚今天穿得很随便。 （　　）
3. 他爱人喜欢早睡早起。 （　　）
4. 他们学校的老师大部分是研究生。 （　　）
5. 他昨天吃完饭去跑步了。 （　　）

二、根据对话，选择正确答案。

24T-2 Choose the right answers according to the dialogues.

1. A. 很好
   B. 不能穿了
   C. 颜色太老
   D. 样子旧了

2. A. 非常喜欢
   B. 马马虎虎
   C. 不太喜欢
   D. 很不喜欢

3. A. 很好
   B. 不好
   C. 及格了
   D. 没及格

4. A. 商店
   B. 饭店
   C. 理发店
   D. 专卖店

5. A. 非常漂亮
   B. 比较漂亮
   C. 不太漂亮
   D. 并不漂亮

6. A. 经常请客
   B. 只说不做
   C. 说话算话
   D. 常吃肉串儿

7. A. 肯定赢
   B. 不一定
   C. 肯定输
   D. 不知道

8. A. 总是很咸
   B. 总是很淡
   C. 时咸时淡
   D. 非常熟练

9. A. 没打电话
   B. 非常高兴
   C. 一直很忙
   D. 打不通电话

10. A. 大家都还没来
    B. 大家都来齐了
    C. 只有刘伟来了
    D. 只有刘伟没来

三、根据你所听到的，选择正确答案。

24T-3

Choose the right answers according to what you hear.

1. A. 两个地方都挺贵
   B. 这儿比那儿还贵
   C. 这儿比那儿便宜
   D. 两个地方都便宜

2. A. 一定不表演
   B. 一个人表演
   C. 和女的一起表演
   D. 三个人一起表演

3. A. 想买，但没钱
   B. 有钱，但不买
   C. 没钱，也不买
   D. 想买，也有钱

4. A. 打网球
   B. 打篮球
   C. 打羽毛球
   D. 打乒乓球

5. A. 朋友
   B. 丈夫
   C. 学生
   D. 老师

第二部分

一、连续听两遍录音，然后判断下列句子的正误。

24T-4

Listen to the recording twice in succession. Then decide whether the following sentences are right (√) or wrong (×).

1. 男的和女的是夫妻。　　　　　　　　　　　（　　　）
2. 男的很喜欢 U2 乐队。　　　　　　　　　　（　　　）
3. 他们的儿子一直很喜欢 U2 乐队。　　　　（　　　）
4. 儿子想去北京看演出。　　　　　　　　　（　　　）
5. 他们打算坐飞机去北京。　　　　　　　　（　　　）
6. 儿子星期五正好没有课。　　　　　　　　（　　　）
7. 老师不同意他们的儿子请假去看演出。　（　　　）
8. 妻子最后也没有同意给儿子请假。　　　（　　　）
9. 男的已经买好票了。　　　　　　　　　　（　　　）
10. 他们打算一家人一起去看演出。　　　　（　　　）

二、再听一遍录音，然后回答下列问题。

24T-4

Listen to the recording again, and then answer the following questions.

1. 谁想去看演出？
2. 男的是什么意见？
3. 星期五去看演出有什么问题？
4. 男的打算怎么办？
5. 女的的态度有什么变化？
6. 最后的结果怎么样？

第二十五课 | 给别人的幸福让道儿

精 听 部 分 ▶

词 语

25-1

1.	急刹车	jí shāchē		10.	特困生	tèkùnshēng	n.	
2.	摄像	shèxiàng	v.	11.	抽签	chōu qiān	v.	
3.	迎亲车队	yíngqīn chēduì		12.	公平	gōngpíng	adj.	
4.	抱怨	bàoyuàn	v.	13.	调皮	tiáopí	adj.	
5.	喇叭	lǎba	n.	14.	哈哈大笑	hāhā dà xiào		
6.	空隙	kòngxì	n.	15.	知足	zhīzú	adj.	
7.	催	cuī	v.	16.	食宿	shísù	n.	
8.	祝福	zhùfú	v.	17.	导游	dǎoyóu	n.	
9.	资助	zīzhù	v.	18.	餐卡	cānkǎ	n.	

练习

给别人的幸福让道儿

一、连续听两遍录音，然后选择正确答案。

25-2

Listen to the recording twice in succession, and then choose the right answers.

1. 公交车为什么急刹车？
   A. 路上堵车了
   B. 碰上警察了
   C. 有交通事故
   D. 有结婚车队

2. 乘客们在车上抱怨什么？
   A. 司机开车不稳
   B. 交通状况不好
   C. 司机太不小心
   D. 上班要迟到了

3. 乘客抱怨的时候，司机在做什么？
    A. 休息
    B. 抱怨
    C. 按喇叭
    D. 下车查看

4. 乘客以为司机这样做是为了什么？
    A. 处理事故
    B. 闲着无聊
    C. 祝福别人
    D. 催别人让道儿

5. 乘客后来为什么变得安静起来？
    A. 表示反对
    B. 抱怨累了
    C. 非常难过
    D. 不好意思

二、再听一遍录音，然后回答下列问题。

Listen to the recording again, and then answer the following questions.

1. "我"坐的公交车遇到了什么情况？
2. 乘客给司机出了什么主意？
3. 司机是怎么做的？为什么？
4. 你觉得司机是一个什么样的人？

三、说一说。

Talk about it.

你在公交车上遇到过什么特别的事吗？如果有，谈谈你的经历。

没有坏孩子

一、连续听两遍录音，然后判断下列句子的正误。

Listen to the recording twice in succession. Then decide whether the following sentences are right (√) or wrong (×).

1. 年轻人想资助所有特困生。 ( )
2. 年轻人想资助成绩最好的 10 个特困生。 ( )
3. 校长想把资助给成绩最好的 10 个特困生。 ( )
4. 年轻人不相信校长。 ( )
5. 年轻人要抽签决定资助谁。 ( )
6. 校长觉得抽签的办法很好。 ( )

7. 校长觉得应该资助成绩好的学生。 （　　）

8. 年轻人觉得每个学生都是好孩子。 （　　）

25-3

二、再听一遍录音，然后回答下列问题。

Listen to the recording again, and then answer the following questions.

1. 年轻人想资助什么样的学生？

2. 校长喜欢什么样的学生？

3. 年轻人喜欢什么样的学生？

4. 年轻人觉得调皮的孩子怎么样？

时间是谁

25-4

一、连续听两遍录音，然后回答下列问题。

Listen to the recording twice in succession. Then answer the following questions.

1. "我"和女儿去哪儿了？

2. 女儿为什么不耐烦？

3. "我"是怎么给女儿解释的？

4. "我"说的话，女儿明白吗？

5. 车上的人为什么哈哈大笑起来？

二、复述这个小故事。

Retell the story.

新 HSK 实战演练

25-5

一、根据你所听到的，判断句子的正误（对的画√，错的画 ×）。

Decide whether the following sentences are right (√) or wrong (×) according to what you hear.

1. 他喜欢上网看新闻。 （　　）

2. 李明不会游泳。 （　　）

3. 他很感谢对方。 （　　）

4. 王刚的收入比他高。　　　　　　　　　　　　　　（　　　）

5. 他现在的外语水平很高。　　　　　　　　　　　　（　　　）

二、根据对话，选择正确答案。

25-6

Choose the right answers according to the dialogues.

1. A. 你说的对吗
   B. 你说的没错
   C. 你说了什么
   D. 你说的不对

2. A. 86474320
   B. 86447230
   C. 86147230
   D. 86744320

3. A. 旅行
   B. 出差
   C. 购物
   D. 求职

4. A. 他不知道
   B. 没人告诉他
   C. 告诉他没用
   D. 不会告诉别人

5. A. 去吃饭
   B. 办餐卡
   C. 办会员卡
   D. 办银行卡

6. A. 说的是真的
   B. 比刘伟厉害
   C. 办不了这事
   D. 比刘伟聪明

7. A. 32 度
   B. 35 度
   C. 36 度
   D. 38 度

8. A. 非常精彩
   B. 比较精彩
   C. 马马虎虎
   D. 非常没劲

9. A. 看电影
   B. 吃晚饭
   C. 聊天儿
   D. 演电影

10. A. 没做完
    B. 检查了
    C. 做完了，但没检查
    D. 做完了，也检查了

三、根据你所听到的，选择正确答案。

25-7

Choose the right answers according to what you hear.

1. A. 吃饭
   B. 坐车
   C. 谈工作
   D. 看电影

2. A. 饭店
   B. 医院
   C. 食堂
   D. 商店

3. A. 买车
   B. 修车
   C. 洗车
   D. 练车

4. A. 明天上午
   B. 明天下午
   C. 后天上午
   D. 后天下午

5. A. 1
   B. 3
   C. 4
   D. 7

泛听部分 ▶

统一的多民族国家

词 语

25-8

1. 统一	tǒngyī	adj.	
2. 组成	zǔchéng	v.	
3. 人口	rénkǒu	n.	
4. 约	yuē	adv.	
5. 占	zhàn	v.	
6. 统称	tǒngchēng	v.	
7. 少数民族	shǎoshù mínzú		
8. 人口普查	rénkǒu pǔchá		

9. 显示	xiǎnshì	v.	
10. 数量	shùliàng	n.	
11. 分布	fēnbù	v.	
12. 广	guǎng	adj.	
13. 自然	zìrán	n.	
14. 特色	tèsè	n.	
15. 风俗习惯	fēngsú xíguàn		

专 名

1. 汉族　　Hànzú
2. 蒙古族　Měnggǔzú
3. 回族　　Huízú

4. 维吾尔族　Wéiwú'ěrzú
5. 藏族　　　Zàngzú

练 习

一、连续听两遍录音，边听边填空。

25-9

Listen to the recording twice in succession. Fill in the blanks while listening.

1. 中国是一个统一的多民族国家，由汉族、蒙古族、回族、维吾尔族、藏族等＿＿＿＿＿个民族组成。

2. 在各个民族中，汉族人口最多，为 1,225,932,641 人，约占全国总人口的 91.51%。除汉族以外的 55 个民族统称为＿＿＿＿＿民族。

3. 少数民族人口数量虽少，但分布很＿＿＿＿＿，主要分布在西北、西南和东北等地。

4. 千百年来，中国各族人民在不同的自然和社会历史条件下，形成了＿＿＿＿＿特色的风俗习惯。

二、说一说。

Talk about it.

你们国家有多少个民族？有什么特点？

第二十六课 | 热情的邻居

精听部分 ▶

词语

26-1

1. 堆	duī	v.		7. 移民	yímín	v.
2. 邻里关系	línlǐ guānxi			8. 月台	yuètái	n.
3. 感动	gǎndòng	adj.		9. 误车	wù chē	
4. 无关	wúguān	v.		10. 追	zhuī	v.
5. 设立	shèlì	v.		11. 价位	jiàwèi	n.
6. 接近	jiējìn	v.		12. 半价	bànjià	n.

练习

热情的邻居

26-2

一、连续听两遍录音，然后判断下列句子的正误。

Listen to the recording twice in succession. Then decide whether the following sentences are right (√) or wrong (×).

1. "我"家里现在非常乱。 （　　）
2. 来的人"我"和妻子都不认识。 （　　）
3. 来的人是"我们"隔壁的邻居。 （　　）
4. 妻子觉得家里太乱，请邻居以后再来。 （　　）
5. 隔壁的邻居来"我"家是为了向"我们"表示祝贺。 （　　）
6. 现在邻里之间一般都很友好。 （　　）
7. 隔壁邻居觉得"我们"在一起住得很愉快。 （　　）
8. "我们"刚搬到这幢楼里来。 （　　）

26-2

二、再听一遍录音，然后回答下列问题。

Listen to the recording again, and then answer the following questions.

1. "我"和妻子在忙什么？

2. 中年妇女对"我们"说了什么?

3. 听了中年妇女的话,"我"和妻子有什么反应?为什么?

4. 实际上,这幢楼里人们的关系怎么样?

5. 你觉得中年妇女是一个什么样的人?

三、再听一遍录音,边听边填空。

26-2

Listen to the recording again. Fill in the blanks while listening.

1. 我家里堆满了行李、包裹、家具和_____。

2. 妻子邀请她进来,并向她_____说屋里很乱,没地方坐。

3. 我相信你们也会住得很_____的。

4. 我和妻子互相看了一眼,感到很_____。

年龄问题

一、连续听两遍录音,然后选择正确答案。

26-3

Listen to the recording twice in succession, and then choose the right answers.

1. 在巴黎,朋友和他妻子去了哪儿?
   A. 酒吧
   B. 博物馆
   C. 艺术馆
   D. 园艺馆

2. 朋友在巴黎遇到了什么问题?
   A. 门票
   B. 翻译
   C. 导游
   D. 收入

3. 朋友遇到问题的原因是什么?
   A. 工作人员态度不好
   B. 导游翻译水平不高
   C. 妻子看上去太年轻
   D. 法国的规定不合理

4. 根据录音,加拿大的朋友有可能多大?
   A. 17
   B. 25
   C. 38
   D. 61

5. 两位朋友遇到的共同问题是什么?
   A. 酒
   B. 门票
   C. 身份
   D. 年龄

二、再听一遍录音，然后回答下列问题。

26-3

Listen to the recording again, and then answer the following questions.

1. 工作人员为什么不卖给朋友的妻子门票？
2. 朋友的妻子多大了？
3. 工作人员的收入和门票收入有关系吗？
4. 法国设立博物馆的目的是什么？
5. 你觉得博物馆的工作人员怎么样？
6. 加拿大的朋友为什么一说起年龄就很烦？
7. 你觉得酒吧的工作人员怎么样？
8. 博物馆和酒吧有什么相同点和不同点？

谁的箱子

一、连续听两遍录音，然后回答下列问题。

26-4

Listen to the recording twice in succession. Then answer the following questions.

1. 先上火车的人把手提箱放在了哪里？
2. 后上火车的人为什么跟先上车的人说话？
3. 先上车的人是怎么回答后上车的人的？
4. 车开了以后，后上车的人做了什么？
5. 先上车的人是什么反应？
6. 后上车的人是怎么向先上车的人解释的？
7. 先上车的人是一个什么样的人？
8. 后上车的人是一个什么样的人？

二、再听一遍录音，边听边填空。

26-4

Listen to the recording again. Fill in the blanks while listening.

1. 一个先走进火车车厢的人坐了个座位，又把箱子放在身旁_____了个座位。
2. 先上车的那个人说，"瞧，她在_____上跟人说话呢。"
3. 后上车的那位乘客一把提起那只箱子扔出_____，然后坐了下来。
4. 先上车的那个人急得_____起来。

新 HSK 实战演练

一、根据你所听到的，判断句子的正误（对的画√，错的画 ×）。

26-5 Decide whether the following sentences are right (√) or wrong (×) according to what you hear.

1. 他有点儿不耐烦。 （　　）
2. 刘平做菜做得不错。 （　　）
3. 他想和小明谈谈。 （　　）
4. 他想吃冰淇淋。 （　　）
5. 他说的那个人是学校的校长。 （　　）

二、根据对话，选择正确答案。

26-6 Choose the right answers according to the dialogues.

1. A. 复习
   B. 考试
   C. 预习
   D. 开车

2. A. 换钥匙
   B. 买钥匙
   C. 找钥匙
   D. 配钥匙

3. A. 讨厌王丽
   B. 想追王丽
   C. 非常优秀
   D. 没有信心

4. A. 鞋子
   B. 围巾
   C. 手表
   D. 帽子

5. A. 很好
   B. 一般
   C. 不好
   D. 很差

6. A. 失望
   B. 可惜
   C. 可怜
   D. 责怪

7. A. 4300
   B. 4800
   C. 5500
   D. 7500

8. A. 她不清楚
   B. 她很心疼
   C. 她很有钱
   D. 不用客气

9. A. 同事
   B. 姐弟
   C. 夫妻
   D. 师生

10. A. 50
    B. 60
    C. 70
    D. 80

三、根据你所听到的，选择正确答案。
26-7
Choose the right answers according to what you hear.

1. A. 不一定参加
   B. 可以不参加
   C. 不得不参加
   D. 很愿意参加

2. A. 很怕热
   B. 不习惯
   C. 喜欢热
   D. 他那儿更热

3. A. 羡慕
   B. 难过
   C. 后悔
   D. 吃惊

4. A. 很喜欢李强
   B. 从来不还钱
   C. 借钱给李强了
   D. 借过李强的钱

5. A. 注意增减衣服
   B. 别去户外活动
   C. 秋天气温很低
   D. 应该多穿一点儿

泛听部分

中国书法

26-8

1. 书法　　shūfǎ　　　　n.
2. 风格　　fēnggé　　　　n.
3. 独特　　dútè　　　　　adj.
4. 字体　　zìtǐ　　　　　n.
5. 著名　　zhùmíng　　　adj.
6. 书法家　shūfǎjiā　　　n.

7. 流派　　liúpài　　　　n.
8. 工具　　gōngjù　　　　n.
9. 文房四宝　wénfáng sì bǎo
10. 墨　　　mò　　　　　n.
11. 砚　　　yàn
12. 毛笔　　máobǐ　　　　n.

专 名

1. 篆书　　Zhuànshū
2. 隶书　　Lìshū
3. 楷书　　Kǎishū
4. 草书　　Cǎoshū
5. 行书　　Xíngshū

6. 王羲之　　Wáng Xīzhī
7. 欧阳询　　Ōuyáng Xún
8. 颜真卿　　Yán Zhēnqīng
9. 柳公权　　Liǔ Gōngquán
10. 赵孟頫　　Zhào Mèngfǔ

练 习

26-9

一、连续听两遍录音，边听边填空。

Listen to the recording twice in succession. Fill in the blanks while listening.

1. 书法是中国传统的汉字书写_____。
2. 常见的书法字体有篆书、隶书、楷书、_____和行书。
3. 书法的书写工具，是被人们称为"文房_____"的笔、墨、纸、砚。
4. 学书法，首先要学会使用_____。

二、说一说。

Talk about it.

你们国家有书法艺术吗？如果有，介绍一下。

第二十七课 | 意外的收获

词 语

27-1

1. 拒绝	jùjué	v.	8. 打击	dǎjī	v.
2. 打呼噜	dǎ hūlu		9. 耐心	nàixīn	adj.
3. 意外	yìwài	adj.	10. 扁桃体	biǎntáotǐ	n.
4. 收获	shōuhuò	n.	11. 发炎	fāyán	v.
5. 被窝儿	bèiwōr	n.	12. 切除	qiēchú	v.
6. 沮丧	jǔsàng	adj.	13. 盲肠	mángcháng	n.
7. 天赋	tiānfù	n.	14. 长相	zhǎngxiàng	n.

练 习

意外的收获

一、连续听两遍录音，然后判断下列句子的正误。
27-2
Listen to the recording twice in succession. Then decide whether the following sentences are right (√) or wrong (×).

1. 刘娟觉得"我"说话很好听。 （　　）
2. "我们"宿舍的人都很欢迎刘娟。 （　　）
3. 刘娟来了"我们"都很不好意思。 （　　）
4. "我们"宿舍很挤，所以不想让刘娟来。 （　　）
5. 刘娟很热心地帮"我们"收拾东西。 （　　）
6. "我们"担心会影响刘娟休息，所以不想让她来。 （　　）
7. 刘娟的奶奶睡觉时爱打呼噜。 （　　）
8. "我们"担心刘娟来了孤单，所以不想让她来。 （　　）
9. 刘娟性格很开朗。 （　　）
10. "我们"和刘娟相处得很愉快。 （　　）

二、再听一遍录音，然后回答下列问题。

27-2

Listen to the recording again, and then answer the following questions.

1. 刘娟为什么想搬到"我们"宿舍来？

2. "我们"宿舍的人为什么都不想让刘娟搬过来？

3. 为了拒绝刘娟，"我们"找了哪些理由？

4. 对于"我们"的理由，刘娟是怎么回答的？

5. 刘娟给"我们"带来了什么？

6. 为什么妈妈说这是意外的收获？

7. 你觉得刘娟是一个什么样的人？

三、说一说。

Talk about it.

谈谈你对这件事的看法。

郎朗的故事

一、连续听两遍录音，然后选择正确答案。

27-3

Listen to the recording twice in succession, and then choose the right answers.

1. 爸爸怎么送"我"去上学？
   A. 坐地铁
   B. 坐出租车
   C. 骑自行车
   D. 坐公交车

2. 爸爸为什么先睡在"我"的床上？
   A. "我"的床舒服
   B. "我"的床暖和
   C. 担心"我"害怕
   D. 为了"我"暖和

3. 过了一年，"我"为什么很沮丧？
   A. 条件太差
   B. 老师打击
   C. 爸爸阻止
   D. "我"很想家

4. 不想弹琴的那一年，"我"多大？
   A. 6 岁
   B. 7 岁
   C. 8 岁
   D. 9 岁

5. "我"多长时间没弹钢琴？
   A. 一个星期
   B. 两个星期
   C. 三个星期
   D. 四个星期

二、再听一遍录音，然后回答下列问题。

27-3

Listen to the recording again, and then answer the following questions.

1. "我"住的地方离学校远吗？"我"怎么去？

2. 为什么说爸爸很辛苦？

3. 学了一年以后，"我"为什么不想弹钢琴了？

4. 老师说的话对"我"有什么影响？爸爸对"我"是什么态度？

5. "我"为什么又开始弹琴了？

6. 重新开始弹琴让"我"明白了什么？

看　病

一、连续听两遍录音，然后回答下列问题。

27-4

Listen to the recording twice in succession. Then answer the following questions.

1. 李先生第一次去医院是因为什么？

2. 第一次医生为李先生做了什么？

3. 李先生第二次去医院是因为什么？

4. 第二次医生为李先生做了什么？

5. 李先生第三次去医院是因为什么？

6. 第三次李先生为什么不敢告诉医生他哪儿不舒服？

二、复述这个小故事。

Retell the story.

新 HSK 实战演练

一、根据你所听到的，判断句子的正误（对的画√，错的画 ×）。

27-5

Decide whether the following sentences are right (√) or wrong (×) according to what you hear.

1. 他很喜欢下雨天。　　　　　　　　　　　（　　）

2. 我们学校共有 30 个班。　　　　　　　　　（　　）

3. 他很容易就追上了现在的女朋友。　　　　　（　　）

4. 他希望能自由一点儿。   (　　)
5. 下班后他打算先去超市。   (　　)

二、根据对话，选择正确答案。

27-6

Choose the right answers according to the dialogues.

1. A. 她不去
   B. 车太小
   C. 车坏了
   D. 舍不得

2. A. 挺累的
   B. 挺不错
   C. 没意思
   D. 非常好

3. A. 吃的
   B. 喝的
   C. 用的
   D. 玩儿的

4. A. 4：00
   B. 10：00
   C. 4：15
   D. 10：15

5. A. 去爬山
   B. 去游泳
   C. 陪父母
   D. 看爸妈

6. A. 朋友
   B. 同事
   C. 邻居
   D. 医生

7. A. 朋友
   B. 师生
   C. 同事
   D. 父女

8. A. 2 年
   B. 5 年
   C. 7 年
   D. 9 年

9. A. 鞋子
   B. 裤子
   C. 袜子
   D. 眼镜

10. A. 不太相信
    B. 喜欢京剧
    C. 知道有表演
    D. 周末要表演

三、根据你所听到的，选择正确答案。

27-7

Choose the right answers according to what you hear.

1. A. 喝酒了
   B. 结婚了
   C. 去韩国了
   D. 告诉男的了

2. A. 在北京生活
   B. 已经工作了
   C. 有三个孩子
   D. 孩子都在上学

3. A. 道别
   B. 聚会
   C. 学习
   D. 旅游

4. A. 长相
   B. 性格
   C. 能力
   D. 年龄

5. A. "我" 不喜欢
   B. 钢琴太贵
   C. 他不喜欢
   D. 妈妈想买

泛听部分 ▶

中国茶

27-8

词 语

1. 招待	zhāodài	v.		8. 乌龙茶	wūlóngchá	n.	
2. 茶叶	cháyè	n.		9. 品种	pǐnzhǒng	n.	
3. 必需品	bìxūpǐn	n.		10. 止渴	zhǐ kě		
4. 按照	ànzhào	prep.		11. 消化	xiāohuà	v.	
5. 制作	zhìzuò	v.		12. 预防	yùfáng	v.	
6. 绿茶	lǜchá	n.		13. 疾病	jíbìng	n.	
7. 红茶	hóngchá	n.					

27-9

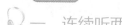

一、连续听两遍录音，边听边填空。

Listen to the recording twice in succession. Fill in the blanks while listening.

1. 中国人喜欢_____，也常常用茶来招待朋友和客人。

2. 中国茶按照制作方法分为_____茶、红茶、乌龙茶等几大类。

3. 经常喝茶，对人的身体健康很有_____。

二、说一说。

Talk about it.

体验一次中国的功夫茶，谈谈你的感受。

第二十八课 | 不会答，举右手

词 语

28-1

1. 提问	tíwèn	v.	9. 经纪人	jīngjìrén	n.
2. 尽量	jǐnliàng	adv.	10. 合同	hétong	n.
3. 开朗	kāilǎng	adj.	11. 签约	qiān yuē	v.
4. 电信大楼	diànxìn dàlóu		12. 叼	diāo	v.
5. 营业厅	yíngyètīng	n.	13. 演艺圈	yǎnyìquān	n.
6. 缴（费）	jiǎo (fèi)	v.	14. 复杂	fùzá	adj.
7. 自言自语	zìyán-zìyǔ		15. 戒（烟）	jiè (yān)	v.
8. 唱片公司	chàngpiàn gōngsī		16. 跳槽	tiào cáo	v.

练 习

不会答，举右手

一、连续听两遍录音，然后判断下列句子的正误。

28-2

Listen to the recording twice in succession. Then decide whether the following sentences are right (√) or wrong (×).

1. 老师提问的时候，全班同学都举起了手。　　　　　　（　　）
2. 老师提出的问题，班上每个同学都会回答。　　　　　（　　）
3. 老师把男孩儿叫到办公室是因为他上课随便说话。　（　　）
4. 男孩儿常常笑话别人。　　　　　　　　　　　　　　（　　）
5. 老师没想到男孩儿会这样回答。　　　　　　　　　　（　　）
6. 老师为男孩儿想了一个两全其美的办法。　　　　　　（　　）
7. 以后，男孩儿每次举手，老师都提问他。　　　　　　（　　）
8. 男孩儿以前是班上学习最差的学生。　　　　　　　　（　　）
9. 男孩儿的性格一直很开朗。　　　　　　　　　　　　（　　）
10. 男孩儿现在的成绩有了很大的进步。　　　　　　　（　　）

二、再听一遍录音，然后回答下列问题。

Listen to the recording again, and then answer the following questions.

1. 上课的时候，老师为什么让那个男孩儿回答问题？
2. 那个男孩儿会回答老师的问题吗？
3. 下课以后，老师做了什么？为什么？
4. 那个男孩儿为什么那么做？
5. 老师跟那个男孩儿说了什么？
6. 老师什么时候叫那个男孩儿回答问题？
7. 那个男孩儿有什么变化？
8. 你觉得男孩儿是一个什么样的人？为什么？
9. 你觉得老师是一个什么样的人？为什么？

三、说一说。

Talk about it.

谈谈你对这个小故事的看法。

缴电话费

一、连续听两遍录音，然后判断下列句子的正误。

Listen to the recording twice in succession. Then decide whether the following sentences are right (√) or wrong (×).

1. 到电信大楼营业厅缴电话费的人很多。　　　　　　　（　　）
2. 老太太第一次说的是儿子的电话号码。　　　　　　　（　　）
3. 老太太第二次说的是女儿的电话号码。　　　　　　　（　　）
4. 营业员前两次问老太太的时候，她回答得都很快。　　（　　）
5. 老太太一时想不起来自己家的电话号码了。　　　　　（　　）
6. 因为老太太一直和营业员聊天儿，所以她后面的人有点儿不耐烦。（　　）
7. 老太太为自己常常忘事感到抱歉。　　　　　　　　　（　　）
8. 老太太常常给她孩子打电话，因为她想女儿和儿子。　（　　）
9. 老太太最后给自己缴了电话费。　　　　　　　　　　（　　）
10. 老太太缴费的时候，后面的人都有意见。　　　　　　（　　）

二、再听一遍录音，然后回答下列问题。

28-3

Listen to the recording again, and then answer the following questions.

1. 老太太本来是想给谁缴电话费？

2. 老太太缴电话费的时候顺利吗？为什么？

3. 开始老太太缴费的时候，后面的人为什么不耐烦？

4. 老太太为什么能清楚地记得孩子的电话？

5. 老太太这次来缴费有收获吗？

6. 老太太第二次缴费的时候，后面的人有什么反应？为什么？

三、说一说。

Talk about it.

谈谈你对这个小故事的看法。

演艺圈太复杂了

一、连续听两遍录音，然后回答下列问题。

28-4

Listen to the recording twice in succession. Then answer the following questions.

1. 李强是谁？

2. 李强的狗怎么样？

3. 老板对李强的狗感兴趣吗？为什么？

4. 老板和小狗签约了吗？为什么？

5. 狗妈妈希望儿子做什么？为什么？

二、再听一遍录音，边听边填空。

28-4

Listen to the recording again. Fill in the blanks while listening.

1. 李强带着一条狗到唱片公司，说他是这条狗的_____。

2. 当音乐响起的时候，小狗跟着音乐又唱又跳。老板非常_____地看着小狗。

3. （老板）赶紧拿出合同，希望跟小狗_____。没想到一条大狗忽然冲进来。

4. 它希望儿子成为一名_____。演艺圈太_____了。

新 HSK 实战演练

一、根据你所听到的，判断句子的正误（对的画 √，错的画 ×）。

28-5

Decide whether the following sentences are right (√) or wrong (×) according to what you hear.

1. 他买到了想买的东西。　　　　　　　　（　　）
2. 他的表不准。　　　　　　　　　　　　（　　）
3. 他早上没吃饭。　　　　　　　　　　　（　　）
4. 李伟打球打得很好。　　　　　　　　　（　　）
5. 他工作上很顺利。　　　　　　　　　　（　　）

二、根据对话，选择正确答案。

28-6

Choose the right answers according to the dialogues.

1. A. 以后戒
   B. 一定戒
   C. 戒不了
   D. 不知道

2. A. 发火了
   B. 做了饭
   C. 打了电话
   D. 回家很晚

3. A. 很生气
   B. 很勉强
   C. 很担心
   D. 不在乎

4. A. 很便宜
   B. 质量好
   C. 很好看
   D. 很方便

5. A. 打算换工作
   B. 工作很顺利
   C. 有了新工作
   D. 打算好好干

6. A. 没来开会
   B. 昨天没来
   C. 早就知道
   D. 不想开会

7. A. 医院
   B. 邮局
   C. 照相馆
   D. 图书馆

8. A. 想找人帮忙
   B. 现在非常忙
   C. 下周要出差
   D. 很想去出差

9. A. 很差   10. A. 昨天晚上加班
   B. 一般   B. 昨天睡得很晚
   C. 不错   C. 邻居家里很吵
   D. 很好   D. 昨天玩儿到很晚

28-7

三、根据你所听到的，选择正确答案。

Choose the right answers according to what you hear.

1. A. 朋友送的   2. A. 明天要结婚
   B. 男朋友送的   B. 打算去请假
   C. 用爸妈的钱买的   C. 想休息一会儿
   D. 用打工的钱买的   D. 老板生她的气了

3. A. 鞋   4. A. 年纪不大
   B. 包儿   B. 眼睛很好
   C. 眼镜   C. 常起来活动
   D. 衣服   D. 常坐在电脑前

5. A. 作家
   B. 演员
   C. 老师
   D. 经理

泛听部分 ▶

中国饮食

28-8

1. 俱佳   jù jiā   5. 气候   qìhòu   n.
2. 地域   dìyù   n.   6. 口味   kǒuwèi   n.
3. 辽阔   liáokuò   adj.   7. 清淡   qīngdàn   adj.
4. 物产   wùchǎn   n.   8. 菜系   càixì   n.

专名

1. 鲁菜　　　Lǔcài
2. 川菜　　　Chuāncài
3. 淮扬菜　　Huáiyángcài

4. 粤菜　　　Yuècài
5. 全聚德　　Quánjùdé

练习

28-9

一、连续听两遍录音，边听边填空。

Listen to the recording twice in succession. Fill in the blanks while listening.

1. 中国菜不但品种_____，而且具有色、香、_____、形俱佳的特点。

2. 鲁菜、川菜、淮扬菜和粤菜被称为中国的"四大_____"。

3. 北京_____是北京的名菜，最著名的烤鸭店是全聚德。

二、说一说。

Talk about it.

你们国家的饮食有什么特点？

单元测试（七）

第一部分

一、根据你所听到的，判断句子的正误（对的画√，错的画 × ）。

28T-1

Decide whether the following sentences are right (√) or wrong (×) according to what you hear.

1. 天气很热，不适合吃火锅。 （　　）
2. 今年报名参加考试的人最多。 （　　）
3. 买礼物花了她很长时间。 （　　）
4. 他很不满。 （　　）
5. 他觉得这部电影很差。 （　　）

二、根据对话，选择正确答案。

28T-2

Choose the right answers according to the dialogues.

1. A. 没孩子
   B. 很严厉
   C. 不管孩子
   D. 把孩子惯坏了

2. A. 没有信心
   B. 总是考第一
   C. 常说要考第一
   D. 一定能考第一

3. A. 没有
   B. 不知道
   C. 不想坐
   D. 太贵了

4. A. 很好
   B. 一般
   C. 不太好
   D. 很不好

5. A. 白色
   B. 蓝色
   C. 黑色
   D. 粉色

6. A. 饭店
   B. 旅馆
   C. 超市
   D. 市场

7. A. 忘了
   B. 买了礼物
   C. 明天过生日
   D. 有别的事情

8. A. 加班
   B. 出差
   C. 收拾行李
   D. 和男的见面

9. A. 他也说不准
   B. 两天后修好
   C. 一定能修好
   D. 一定修不好

10. A. 食堂
    B. 教室
    C. 宿舍
    D. 礼堂

28T-3

三、根据你所听到的，选择正确答案。

Choose the right answers according to what you hear.

1. A. 很高兴
   B. 赢了比赛
   C. 大家都怪他
   D. 输球是因为他

2. A. 不再操心
   B. 孩子长高
   C. 孩子聪明
   D. 孩子快乐

3. A. 出差了
   B. 迟到了
   C. 生病了
   D. 请假了

4. A. 女的
   B. 女的爸爸
   C. 女的儿子
   D. 女的丈夫

5. A. 不喜欢
   B. 失败了
   C. 想做事业
   D. 想当演员

第二部分

一、连续听两遍录音，然后判断下列句子的正误。

28T-4

Listen to the recording twice in succession. Then decide whether the following sentences are right (√) or wrong (×).

1. 来售楼处的那个中年男子穿得很讲究。　　　　　（　　）
2. 大家都很乐意接待他。　　　　　　　　　　　　（　　）
3. "我"早就料到他会看中一套房子。　　　　　　　（　　）
4. 他要带家人一起来看看，然后再作决定。　　　　（　　）
5. 第二天他是和母亲两个人一起来的。　　　　　　（　　）
6. 他当场买了那套房子。　　　　　　　　　　　　（　　）
7. 他来退房子的时候，"我"非常生气。　　　　　　（　　）
8. 他对"我"感到很抱歉。　　　　　　　　　　　　（　　）
9. 他买房子是为了自己能住得舒服点儿。　　　　　（　　）
10. 他是一个普通工人，买不起房子。　　　　　　　（　　）

二、再听一遍录音，然后回答下列问题。

28T-4

Listen to the recording again, and then answer the following questions.

1. "我"是做什么工作的？
2. 来的那个中年男子怎么样？
3. 大家对他是什么态度？
4. 第二天，他和谁一起来的？他们怎么样？
5. 他为什么订了房子？又为什么来退房子？
6. 你觉得他是一个什么样的人？

第二十九课 | 好心的列车员

精 听 部 分 ▶

词 语

29-1

1. 列车员	lièchēyuán	n.
2. 减速	jiǎn sù	v.
3. 提速	tí sù	v.
4. 补（票）	bǔ (piào)	v.
5. 贸易	màoyì	n.
6. 应聘	yìngpìn	v.
7. 初试	chūshì	v.
8. 复试	fùshì	v.

9. 滔滔不绝	tāotāo bù jué	
10. 打断	dǎduàn	v.
11. 惊呆	jīngdāi	
12. 谈判	tánpàn	v.
13. 果断	guǒduàn	adj.
14. 争取	zhēngqǔ	v.
15. 保龄球	bǎolíngqiú	n.
16. 广告	guǎnggào	n.

练 习

好心的列车员

 一、连续听两遍录音，然后选择正确答案。

29-2

Listen to the recording twice in succession, and then choose the right answers.

1. 说话人坐的是什么车？
   A. 普快
   B. 特快
   C. 动车
   D. 卧铺

2. 说话人是怎么下车的？
   A. 从车窗跳下去的
   B. 从车门跳下去的
   C. 从车门走下去的
   D. 从车顶跳下去的

3. 说话人下车以后为什么要跑？
   A. 害怕摔倒
   B. 忘了东西
   C. 向列车员告别
   D. 想快点儿回家

4. 第二个列车员为什么把说话人拉上了车？
   A. 以为他想上车
   B. 觉得他很奇怪
   C. 觉得他很危险
   D. 以为他忘了东西

5. 最后，列车员让他做什么？

    A. 下车

    B. 帮忙

    C. 补票

    D. 上车

二、再听一遍录音，然后回答下列问题。

Listen to the recording again, and then answer the following questions.

1. 说话人坐车的时候遇到了什么麻烦？

2. 第一个列车员给说话人出了一个什么主意？

3. 第一个列车员特别让说话人记住什么？

4. 说话人下车的时候是怎么做的？

5. 说话人为什么又上了车？

6. 第二个列车员为什么说说话人很幸运？

7. 你觉得这两个列车员怎么样？

站起来就得到了机会

一、连续听两遍录音，然后判断下列句子的正误。

Listen to the recording twice in succession. Then decide whether the following sentences are right (√) or wrong (×).

1. "我"应聘的公司因为工作很好，所以应聘者很多。   (　　)

2. 这次应聘有初试和复试，共有二十二个人参加。   (　　)

3. 因为比尔的汉语很好，所以他很爱讲话。   (　　)

4. 比尔讲了九十分钟还没讲完。   (　　)

5. 虽然"我"有些担心比尔会生气，可"我"还是站起来说话了。(　　)

6. 比尔对有人打断他感到很生气。   (　　)

7. "我"对公司的事非常关心，所以比尔录用了"我"。   (　　)

8. "我"早就知道比尔会作出什么样的决定。   (　　)

9. 做贸易的需要为自己争取表达的机会。   (　　)

二、再听一遍录音，然后回答下列问题。

29-3

Listen to the recording again, and then answer the following questions.

1. "我"去哪儿应聘？

2. 比尔是什么人？

3. "我"什么时候打断了比尔的讲话？

4. "我"告诉比尔什么？

5. 比尔对"我"所做的事情有什么反应？

6. "我"和大家为什么很吃惊？

7. 比尔为什么录用了"我"？

三、说一说。

Talk about it.

谈谈你对这次复试的看法。

好说话的女朋友

一、连续听两遍录音，然后回答下列问题。

29-4

Listen to the recording twice in succession. Then answer the following questions.

1. 女的想看电影吗？为什么？

2. 女的想打保龄球吗？为什么？

3. 女的想去咖啡厅吗？为什么？

4. 你觉得女的好说话吗？为什么？

二、说一说。

Talk about it.

你遇到过上文提到的这种情况吗？如果有，谈谈你的经历。

新 HSK 实战演练

29-5 一、根据你所听到的，判断句子的正误（对的画√，错的画 ×）。
Decide whether the following sentences are right (√) or wrong (×) according to what you hear.

1. 她老公喜欢足球。 （　　）
2. 他喜欢别人怎么想就怎么说。 （　　）
3. 他很喜欢这个广告。 （　　）
4. 他们夫妻感情很好。 （　　）
5. 他们公司不要本科生。 （　　）

29-6 二、根据对话，选择正确答案。
Choose the right answers according to the dialogues.

1. A. 睡觉　　　　　　　　　2. A. 玩儿
   B. 上课　　　　　　　　　　 B. 散步
   C. 听广播　　　　　　　　　 C. 学习
   D. 听讲座　　　　　　　　　 D. 锻炼

3. A. 买房　　　　　　　　　4. A. 以前见过
   B. 借钱　　　　　　　　　　 B. 互相喜欢
   C. 看病　　　　　　　　　　 C. 互相讨厌
   D. 读书　　　　　　　　　　 D. 初次见面

5. A. 还没毕业　　　　　　　6. A. 样子不好看
   B. 早工作了　　　　　　　　 B. 价格不合适
   C. 没上大学　　　　　　　　 C. 颜色不漂亮
   D. 刚刚工作　　　　　　　　 D. 大小不合适

7. A. 看了电影　　　　　　　8. A. 想喝咖啡
   B. 晚上加班　　　　　　　　 B. 很想睡觉
   C. 不想看电影　　　　　　　 C. 喜欢喝茶
   D. 早知道要加班　　　　　　 D. 担心失眠

9. A. 找工作
   B. 找对象
   C. 买房子
   D. 考大学

10. A. 很正常
    B. 很奇怪
    C. 很特别
    D. 很少见

29-7 三、根据你所听到的，选择正确答案。
Choose the right answers according to what you hear.

1. A. 一定考不上
   B. 可能考不上
   C. 一定考得上
   D. 可能考得上

2. A. 他成绩很好
   B. 他不爱学习
   C. 他妹妹成绩很好
   D. 他妹妹不爱学习

3. A. 孩子的爸爸
   B. 孩子的妈妈
   C. 孩子的爷爷
   D. 孩子的奶奶

4. A. 工作
   B. 休息
   C. 回老家
   D. 看父母

5. A. 打球
   B. 打电话
   C. 陪朋友
   D. 去南京

泛听部分 ▶

时 光

词语

29-8

1. 体会	tǐhuì	v.		6. 幸运儿	xìngyùn'ér	n.
2. 价值	jiàzhí	n.		7. 珍惜	zhēnxī	v.
3. 周刊	zhōukān	n.		8. 时光	shíguāng	n.
4. 编辑	biānjí	n.		9. 分享	fēnxiǎng	v.
5. 死里逃生	sǐ lǐ táo shēng					

练 习

一、连续听两遍录音，边听边填空。

Listen to the recording twice in succession. Fill in the blanks while listening.

29-9

1. 想要体会"一小时"有多少价值，你可以去问一对等待约会的＿＿＿
＿＿。

2. 请＿＿＿＿你所拥有的美好时光，并和你爱的人一起分享这些时光。

二、说一说。

Talk about it.

这段话告诉了我们什么？你有什么感受？

第三十课 | 拨两遍号

词 语

30-1

1. 拨	bō	v.
2. 占线	zhàn xiàn	v.
3. 绊	bàn	v.
4. 孝顺	xiàoshùn	v.
5. 报道	bàodào	n.
6. 付出	fùchū	v.
7. 艺人	yìrén	n.
8. 直播	zhíbō	v.
9. 演技	yǎnjì	n.

10. 才艺	cáiyì	n.
11. 实力	shílì	n.
12. 双胞胎	shuāngbāotāi	n.
13. 马马虎虎	mǎmǎhūhū	adj.
14. 确定	quèdìng	v.
15. 竞争	jìngzhēng	v.
16. 不对劲儿	bú duìjìnr	
17. 外卖	wàimài	n.

词 语

泰山	Tài Shān

练 习

拨两遍号

30-2

一、连续听两遍录音，然后判断下列句子的正误。

Listen to the recording twice in succession. Then decide whether the following sentences are right (√) or wrong (×).

1. 朋友每天给父母打电话。　　　　　　　　　　（　　）
2. 朋友给父母打电话的时候正好占线。　　　　　（　　）
3. 朋友给父母打电话的时候没想好说什么。　　　（　　）
4. 朋友的父母接电话的时候总是很着急。　　　　（　　）
5. 朋友的父母身体一直都不好。　　　　　　　　（　　）
6. "我" 被朋友感动了。　　　　　　　　　　　　（　　）

7. 朋友是一个很粗心的人。　　　　　　　　　（　　）

8. 衣服漂亮是最重要的。　　　　　　　　　　（　　）

二、再听一遍录音，然后回答下列问题。

30-2

Listen to the recording again, and then answer the following questions.

1. 朋友给父母打电话的时候有什么习惯？

2. 朋友给父母打电话的时候为什么这么做？

3. "我"觉得朋友怎么样？

4. "爱"最重要的是什么？

三、说一说。

Talk about it.

谈谈你对这件事的看法。

实力最重要

一、连续听两遍录音，然后选择正确答案。

30-3

Listen to the recording twice in succession, and then choose the right answers.

1. 据报道，某年成龙全年的
　收入怎么样？
　A. 很多
　B. 很少
　C. 最多
　D. 最少

2. 成龙认为，作为艺人应该怎么样？
　A. 会唱歌会跳舞
　B. 会唱歌会弹琴
　C. 有漂亮的演技
　D. 有多方面的才能

3. 成龙现在的英语水平怎么样？
　A. 很不错
　B. 很一般
　C. 比较差
　D. 完全不会

4. 成龙会说几国语言？
　A. 4
　B. 5
　C. 6
　D. 7

5. 成龙觉得做事最重要的是什么?

    A. 运气

    B. 实力

    C. 努力

    D. 环境

二、再听一遍录音,然后回答下列问题。

30-3

Listen to the recording again, and then answer the following questions.

1. 年轻人很羡慕成龙,为什么?

2. 对于年轻人的羡慕,成龙有什么看法?

3. 成龙刚去美国的时候会说英语吗? 后来怎么样?

4. 成龙是哪里人? 他会讲什么话?

5. 成龙觉得老一辈的演员怎么样?

6. 成龙对现在的年轻艺人有什么看法?

三、说一说。

Talk about it.

对于成龙的观点,你有什么看法?

谁是哥哥

一、连续听两遍录音,然后判断下列句子的正误。

30-4

Listen to the recording twice in succession. Then decide whether the following sentences are right (√) or wrong (×).

1. 老李有三个儿子。   (   )

2. 老李的儿子和他长得很像。   (   )

3. 老李这个人很马虎。   (   )

4. 老李分不清谁是哥哥谁是弟弟。   (   )

5. 人们都知道谁是哥哥谁是弟弟。   (   )

6. 老李还没决定谁是哥哥谁是弟弟。 (   )

7. 老李想让两个儿子公平竞争。   (   )

8. 老李觉得,谁马虎谁就是哥哥。   (   )

二、再听一遍录音，然后回答下列问题。

30-4

Listen to the recording again, and then answer the following questions.

1. 老李有几个儿子？

2. 他的儿子怎么样？

3. 老李为什么头疼？

4. 老李想怎么决定谁是哥哥？

新 HSK 实战演练

一、根据你所听到的，判断句子的正误（对的画√，错的画 ×）。

30-5

Decide whether the following sentences are right (√) or wrong (×) according to what you hear.

1. 他写论文的那段时间睡得很晚。　　　　（　　）

2. 他觉得李勇的水平很高。　　　　（　　）

3. 大家都觉得刘平很好。　　　　（　　）

4. 他平时很少说话。　　　　（　　）

5. 刘伟常常订餐。　　　　（　　）

二、根据对话，选择正确答案。

30-6

Choose the right answers according to the dialogues.

1. A. 脾气很好　　　　2. A. 高兴
   B. 让人害怕　　　　　　B. 不满
   C. 喜欢建议　　　　　　C. 难过
   D. 非常亲切　　　　　　D. 失望

3. A. 会帮忙　　　　4. A. 不想去了
   B. 帮不了忙　　　　　　B. 马上出发
   C. 觉得为难　　　　　　C. 还没办好
   D. 比较担心　　　　　　D. 以后再说

5. A. 找工作
   B. 找对象
   C. 要孩子
   D. 找房子

6. A. 自己
   B. 李强
   C. 别人
   D. 不一定

7. A. 地铁站
   B. 公交车站
   C. 公交车上
   D. 出租车上

8. A. 看书
   B. 学习
   C. 上网
   D. 看电视

9. A. 复习
   B. 考试
   C. 休息
   D. 看电影

10. A. 今天免费
    B. 电影好看
    C. 票价便宜
    D. 今天周末

三、根据你所听到的，选择正确答案。
Choose the right answers according to what you hear.

1. A. 帽子
   B. 鞋子
   C. 太阳镜
   D. 牛仔裤

2. A. 王强
   B. 自己
   C. 女的
   D. 一样

3. A. 喜欢说话
   B. 不爱说话
   C. 不爱逛街
   D. 喜欢逛街

4. A. 犹豫了
   B. 不去了
   C. 一定去
   D. 改天去

5. A. 棉衣
   B. 短裤
   C. 衬衫
   D. 太阳镜

泛听部分 ▶

多发现孩子的优点

词 语

30-8

1. 缺点　　quēdiǎn　　n.
2. 模仿　　mófǎng　　v.
3. 能力　　nénglì　　n.
4. 一流　　yīliú　　adj.

5. 改正　　gǎizhèng　　v.
6. 作为　　zuòwéi　　prep.
7. 家长　　jiāzhǎng　　n.
8. 优点　　yōudiǎn　　n.

练 习

30-9

一、连续听两遍录音，边听边填空。

Listen to the recording twice in succession. Fill in the blanks while listening.

1. 孩子身上没有缺点，如果有，也是从大人身上学来的，因为孩子的模仿能力是_____的。

2. 如果你想让孩子改正缺点，正确的方法，是_____先改。

3. 作为家长，要多发现孩子的_____。

二、说一说。

Talk about it.

谈谈你对这段话的看法。

第三十一课｜成功只需多说一句话

精 听 部 分 ▶

词 语

31-1

1. 好评	hǎopíng	n.
2. 不起眼儿	bù qǐyǎnr	
3. 台阶	táijiē	n.
4. 多此一举	duōcǐyìjǔ	
5. 赞赏	zànshǎng	v.
6. 提升	tíshēng	v.
7. 成功	chénggōng	v.
8. 减肥	jiǎn féi	v.
9. 后果	hòuguǒ	n.

10. 诉苦	sù kǔ	v.
11. 烧鸡	shāojī	n.
12. 腰围	yāowéi	n.
13. 惊动	jīngdòng	v.
14. 怀孕	huáiyùn	v.
15. 通知书	tōngzhīshū	n.
16. 评语	píngyǔ	n.
17. 复查	fùchá	v.

专 名

糖醋排骨　　　Tángcù Páigǔ

练 习

成功只需多说一句话

一、连续听两遍录音，然后判断下列句子的正误。

31-2

Listen to the recording twice in succession. Then decide whether the following sentences are right (√) or wrong (×).

1. 阿丽很希望当一名售货员。 （　　）
2. 大家都觉得阿丽最适合做售货员。 （　　）
3. 阿丽工作做得很出色。 （　　）
4. 阿丽的柜组前有道台阶显得很难看。 （　　）
5. 常常有人不小心被台阶绊倒。 （　　）
6. 同事们都对阿丽的做法很满意。 （　　）

91

7. 阿丽并不在乎同事们对她的看法。 　　　（　　　）

8. 老总对阿丽的做法很赞赏。 　　　（　　　）

9. 老总当时就表扬了阿丽。 　　　（　　　）

10. 阿丽被提升是因为她喜欢说话。 　　　（　　　）

二、再听一遍录音，然后回答下列问题。

31-2

Listen to the recording again, and then answer the following questions.

1. 阿丽为什么做了售货员？

2. 阿丽的工作态度怎么样？

3. 阿丽的工作表现怎么样？

4. 有顾客经过阿丽的柜组时，阿丽会做什么？

5. 对于阿丽的做法，同事们怎么看？

6. 对于阿丽的提醒，老总有什么反应？

7. 阿丽为什么得到了提升？

8. 你觉得阿丽是一个什么样的人？

三、再听一遍录音，边听边填空。

31-2

Listen to the recording again. Fill in the blanks while listening.

1. 阿丽_____的服务很快便得到了顾客的好评。

2. 每当有不知情的顾客经过，阿丽总要_____一句：请小心前面的台阶。

3. 一年之后，她成了这家公司的_____。

不减肥的后果

一、连续听两遍录音，然后选择正确答案。

31-3

Listen to the recording twice in succession, and then choose the right answers.

1. 老公对我不减肥是什么态度？

A. 比较支持

B. 并不关心

C. 不太满意

D. 非常生气

2. 下面哪一项不是说话人爱吃的东西？

A. 烤鸭

B. 烧鸡

C. 大虾

D. 牛肉

3. 不再减肥以后，说话人重了多少？
   A. 四斤
   B. 十斤
   C. 近四斤
   D. 近十斤

4. 邻居们以为说话人怎么了？
   A. 生病了
   B. 怀孕了
   C. 离婚了
   D. 出院了

5. 听了邻居的话，说话人可能是什么心情？
   A. 兴奋
   B. 害怕
   C. 激动
   D. 难为情

二、再听一遍录音，然后回答下列问题。

31-3

Listen to the recording again, and then answer the following questions.

1. "我" 为什么不想减肥了？
2. "我" 的胃口怎么样？
3. "我" 不减肥以后，身体有了哪些变化？
4. "我" 的变化惊动了谁？

三、复述这个小故事。

Retell the story.

谁的通知书

一、连续听两遍录音，然后回答下列问题。

31-4

Listen to the recording twice in succession. Then answer the following questions.

1. 儿子在房间里做什么？
2. 老师在上面写了什么？
3. 爸爸看了以后感觉怎么样？
4. 这份通知书是谁的？
5. 爸爸是一个什么样的人？

二、再听一遍录音，边听边填空。

31-4

Listen to the recording again. Fill in the blanks while listening.

1. 儿子在房间里_____也不出来。

2.（爸爸）见儿子正在看一份_____，他一把夺过来，看了起来。

3. 这不是我的通知书，是从您的旧_____里找到的。

新 HSK 实战演练

一、根据你所听到的，判断句子的正误（对的画√，错的画 ×）。

31-5

Decide whether the following sentences are right (√) or wrong (×) according to what you hear.

1. 他现在觉得汉语很难。　　　　　　（　　）

2. 他在跟病人说话。　　　　　　　　（　　）

3. 他不喜欢买书。　　　　　　　　　（　　）

4. 没人知道他喜欢王云。　　　　　　（　　）

5. 他期末考试考得不好。　　　　　　（　　）

二、根据对话，选择正确答案。

31-6

Choose the right answers according to the dialogues.

1. A. 一定通不过　　　　　　　2. A. 他不考试
　 B. 可能通不过　　　　　　　　 B. 不用担心
　 C. 一定能通过　　　　　　　　 C. 确实担心
　 D. 可能能通过　　　　　　　　 D. 考试很难

3. A. 是同学　　　　　　　　　4. A. 坐出租车
　 B. 是同事　　　　　　　　　　 B. 散步回去
　 C. 非常熟　　　　　　　　　　 C. 骑自行车
　 D. 不太熟　　　　　　　　　　 D. 坐公交车

5. A. 很受欢迎　　　　　　　　6. A. 漂亮的
　 B. 马马虎虎　　　　　　　　　 B. 舒服的
　 C. 很不好看　　　　　　　　　 C. 便宜的
　 D. 不太好看　　　　　　　　　 D. 都可以

7. A. 不知道
   B. 想知道
   C. 不感兴趣
   D. 她告诉的

8. A. 很有意思
   B. 让人感动
   C. 都不好看
   D. 让人激动

9. A. 菜店
   B. 商店
   C. 大酒店
   D. 快餐店

10. A. 摇滚音乐
    B. 古典音乐
    C. 流行音乐
    D. 都很喜欢

三、根据你所听到的，选择正确答案。

31-7

Choose the right answers according to what you hear.

1. A. 很支持
   B. 很反对
   C. 不清楚
   D. 勉强同意

2. A. 看书
   B. 上网
   C. 休息
   D. 看电影

3. A. 不一定出国
   B. 一定会出国
   C. 今年就出国
   D. 时间早定了

4. A. 外面下着雨
   B. 已经说好了
   C. 男的不让去
   D. 事情很重要

5. A. 演员
   B. 歌手
   C. 学生
   D. 模特

泛 听 部 分 ▶

教育孩子学会储蓄

31-8

词 语

1. 储蓄	chǔxù	v.	6. 账户	zhànghù	n.
2. 零花钱	línghuāqián	n.	7. 存折	cúnzhé	n.
3. 罐子	guànzi	n.	8. 利息	lìxī	n.
4. 日常开销	rìcháng kāixiāo		9. 节约	jiéyuē	v.
5. 鼓励	gǔlì	v.	10. 自立	zìlì	v.

练 习

31-9

一、连续听两遍录音，从 A — C 三个答案中为每个罐子里的钱选择正确的用途。

Listen to the reconding twice in succession. For each of the three items in the left column, select the corresponding purpose out of the three choices on the right.

1. 第一个罐子里的钱（　　　）　　　A. 存在银行

2. 第二个罐子里的钱（　　　）　　　B. 日常用品

3. 第三个罐子里的钱（　　　）　　　C. 芭比娃娃

31-9

二、再听一遍录音，然后回答下列问题。

Listen to the recording again, and then answer the following questions.

1. 把孩子的钱存在银行有什么好处？

2. 教育孩子节约用钱的目的是什么？

第三十二课 | 父亲，对不起

精 听 部 分 ▶

1. 送行	sòngxíng	v.	13. 损坏	sǔnhuài	v.
2. 难忘	nánwàng	adj.	14. 暴露	bàolù	v.
3. 重大	zhòngdà	adj.	15. 完善	wánshàn	v.
4. 梦想	mèngxiǎng	n.	16. 厂家	chǎngjiā	n.
5. 耐用	nàiyòng	adj.	17. 媳妇儿	xífùr	n.
6. 研制	yánzhì	v.	18. 盯	dīng	v.
7. 大型	dàxíng	adj.	19. 观察	guānchá	v.
8. 机舱	jīcāng	n.	20. 嫁	jià	v.
9. 醒目	xǐngmù	adj.	21. 属（羊）	shǔ (yáng)	v.
10. 撕	sī	v.	22. 教练	jiàoliàn	n.
11. 设施	shèshī	n.	23. 退	tuì	v.
12. 折腾	zhēteng	v.			

父亲，对不起

一、连续听两遍录音，然后选择正确答案。
Listen to the recording twice in succession, and then choose the right answers.

1. 这是父亲第几次坐飞机？
   A. 第一次
   B. 第二次
   C. 第三次
   D. 第四次

2. 父亲本来打算怎么回去？
   A. 坐火车
   B. 坐飞机
   C. 坐汽车
   D. 坐地铁

3. 父亲拿到票的时候怎么样？

    A. 很平常

    B. 很激动

    C. 很难过

    D. 很紧张

4. 送走父亲，我的心情怎么样？

    A. 很抱歉

    B. 很难过

    C. 很高兴

    D. 很感激

二、再听一遍录音，然后回答下列问题。

32-2

Listen to the recording again, and then answer the following questions.

1. "我"去机场干什么？

2. "我"为什么给父母订了飞机票？

3. 描述一下父亲等飞机时的样子。

4. 登机前父亲对"我"说了什么？当时他是什么心情？

5. 送走父母以后，"我"是什么心情？

三、说一说。

Talk about it.

谈谈你对这件事的感受。

观　念

一、连续听两遍录音，然后判断下列句子的正误。

32-3

Listen to the recording twice in succession. Then decide whether the following sentences are right (√) or wrong (×).

1. 德国人制造的东西非常坚实耐用。   (　　　)

2. 德国人的观念和别国的人不一样。   (　　　)

3. 欧洲几个国家的人在一起坐飞机。   (　　　)

4. 在客机试飞阶段，每个工作人员都很小心。   (　　　)

5. 德国人很喜欢破坏公共设施。   (　　　)

6. 德国人在试验阶段很爱惜自己的产品。   (　　　)

7. 一件产品是否耐用，主要是使用者的事。   (　　　)

8. 不同的观念会产生不同的结果。   (　　　)

二、再听一遍录音，然后回答下列问题。

32-3

Listen to the recording again, and then answer the following questions.

1. 德国人制造的东西坚固耐用的原因，人们是什么时候知道的？
2. 在客机试飞阶段，别国的工作人员是怎么做的？
3. 在客机试飞阶段，德国人是怎么做的？
4. 为什么德国人制造的东西坚固耐用？
5. 作者对德国人的做法是什么态度？

洗脚洗来的媳妇儿

一、连续听两遍录音，然后回答下列问题。

32-4

Listen to the recording twice in succession. Then answer the following questions.

1. 睡觉前"我"做了什么？
2. 对"我"做的事，女友觉得怎么样？
3. 对"我"做的事，女友是怎么想的？
4. 女友一个暑假都在干什么？为什么？
5. "我"有一个什么样的习惯？
6. 女友答应"我"什么事情？
7. 女友答应"我"以后，我感觉怎么样？

二、再听一遍录音，边听边填空。

32-4

Listen to the recording again. Fill in the blanks while listening.

1. 睡觉前，我端了_____放在父母跟前。
2. 女友吃惊地_____着看，好像不认识我一样。
3. 她相信_____给把为父母洗脚当成习惯的人，一定很幸福。

三、说一说。

Talk about it.

谈谈你选择男朋友或女朋友的标准。

新 HSK 实战演练

32-5 一、根据你所听到的，判断句子的正误（对的画√，错的画 ×）。
Decide whether the following sentences are right (√) or wrong (×) according to what you hear.

1. 王芳平时很温柔。　　　　　　　　（　　）
2. 他们在宿舍说话。　　　　　　　　（　　）
3. 明明很瘦。　　　　　　　　　　　（　　）
4. 找他帮忙很合适。　　　　　　　　（　　）
5. 他没打电话。　　　　　　　　　　（　　）

32-6 二、根据对话，选择正确答案。
Choose the right answers according to the dialogues.

1. A. 他不愿意吃饭
   B. 和以前差不多
   C. 病得更厉害了
   D. 比以前好点儿

2. A. 责怪
   B. 满意
   C. 奇怪
   D. 疑问

3. A. 食堂
   B. 邮局
   C. 银行
   D. 商店

4. A. 今天很精神
   B. 昨晚加班了
   C. 昨天睡得很晚
   D. 昨天是她生日

5. A. 年龄
   B. 生日
   C. 宠物
   D. 星座

6. A. 一定能赢
   B. 可能会赢
   C. 可能会输
   D. 一定会输

7. A. 鞋
   B. 裤子
   C. 外套
   D. 帽子

8. A. 自己
   B. 爸爸
   C. 老师
   D. 朋友

9. A. 同事　　　　　　10. A. 很想去旅行
　　B. 朋友　　　　　　　　B. 想和爸爸去
　　C. 师生　　　　　　　　C. 最近不太忙
　　D. 路人　　　　　　　　D. 想把票退了

三、根据你所听到的，选择正确答案。
32-7
Choose the right answers according to what you hear.

1. A. 庆幸　　　　　　2. A. 出了问题
　　B. 得意　　　　　　　　B. 非常高兴
　　C. 失望　　　　　　　　C. 答应帮忙
　　D. 难过　　　　　　　　D. 一定办成

3. A. 爸爸　　　　　　4. A. 生病了
　　B. 爷爷　　　　　　　　B. 想回家
　　C. 奶奶　　　　　　　　C. 做手术了
　　D. 妈妈　　　　　　　　D. 非常危险

5. A. 家里
　　B. 商店
　　C. 教室
　　D. 会议室

泛听部分 ▶

拥抱孩子

词 语
32-8

1. 几率　　　jīlǜ　　　　　　n.　　　5. 加强　　　jiāqiáng　　　v.
2. 安全感　　ānquángǎn　　n.　　　6. 摩擦　　　mócā　　　　　n.
3. 拥抱　　　yōngbào　　　v.　　　7. 心理素质　xīnlǐ sùzhì
4. 有利于　　yǒulìyú

练 习

32-9

一、连续听两遍录音，边听边填空。

Listen to the recording twice in succession. Fill in the blanks while listening.

1. 孩子在父母身边长大，父母常常＿＿＿＿＿＿孩子，有利于孩子的身心发展，特别是心理健康。

2. 拥抱可以消除沮丧，使人变得更＿＿＿＿＿＿。

3. 那些经常被拥抱的孩子的心理素质要比缺乏拥抱的孩子＿＿＿＿＿＿得多。

二、说一说。

Talk about it.

谈谈你对这段话的看法。

单元测试（八）

第一部分

一、根据你所听到的，判断句子的正误（对的画√，错的画 ×）。
Decide whether the following sentences are right (√) or wrong (×) according to what you hear.

1. 他有点儿担心丽丽。 （　　）
2. 明天一定会举行运动会。 （　　）
3. 他不想在学校待着。 （　　）
4. 教师这个职业不怎么受欢迎。 （　　）
5. 张丽不会做饭。 （　　）

二、根据对话，选择正确答案。
Choose the right answers according to the dialogues.

1. A. 想买书
   B. 想去转转
   C. 想去图书馆
   D. 借书看就行

2. A. 现在没有女朋友
   B. 从来没谈过女朋友
   C. 他喜欢的人都喜欢他
   D. 喜欢他的人他都喜欢

3. A. 看病
   B. 体检
   C. 看病人
   D. 看产妇

4. A. 早就知道了
   B. 别开玩笑了
   C. 这是个秘密
   D. 别告诉别人

5. A. 家里
   B. 病房
   C. 学校
   D. 宿舍

6. A. 事情很严重
   B. 考试很轻松
   C. 打球最重要
   D. 考试很重要

7. A. 现在很累
   B. 不想看演出
   C. 想在家休息
   D. 想看电视剧

8. A. 同意买
   B. 不同意买
   C. 考得好才买
   D. 笔记本很贵

9. A. 喜欢出差
   B. 喜欢放假
   C. 不喜欢出差
   D. 不喜欢放假

10. A. 20
    B. 30
    C. 40
    D. 50

三、根据你所听到的，选择正确答案。

Choose the right answers according to what you hear.

1. A. 太胖了
   B. 太瘦了
   C. 晚上不吃饭
   D. 吃得非常少

2. A. 女的
   B. 爸爸
   C. 妈妈
   D. 全家

3. A. 很生气
   B. 不爱说话
   C. 不接受礼物
   D. 不喜欢礼物

4. A. 今天下雨了
   B. 他们很幸运
   C. 这里很少下雨
   D. 他们家在这儿

5. A. 表现很好
   B. 输了比赛
   C. 非常难过
   D. 打算放弃

第二部分

一、连续听两遍录音，然后判断下列句子的正误。

32T-4

Listen to the recording twice in succession. Then decide whether the following sentences are right (√) or wrong (×).

1. 酒店在招聘经理。   （　　）

2. 招聘在酒店大厅里进行。   （　　）

3. 他对自己一直都很有信心。   （　　）

4. 他长得又高又帅。   （　　）

5. 来应聘的人都是研究生。   （　　）

6. 经理对他很感兴趣。   （　　）

7. 面试的时候他始终都很有礼貌。   （　　）

8. 他和钟善以前就认识，所以帮了钟善。   （　　）

9. 经理再次见到他的时候，显得特别高兴。   （　　）

10. 因为他的条件很好，所以经理录用了他。   （　　）

二、再听一遍录音，然后回答下列问题。

32T-4

Listen to the recording again, and then answer the following questions.

1. 酒店要招聘什么人？在哪儿招聘？

2. 他来酒店之前感觉怎么样？

3. 他来酒店之后感觉有什么变化？

4. 面试的时候，经理对他是什么看法？

5. 他为什么又去了面试的房间？

6. 他为什么被录用了？

词语总表 | VOCABULARY

A

安排	ānpái	23
安全感	ānquángǎn	32
按照	ànzhào	27
熬夜	áo yè	19
奥运会	Àoyùnhuì	22

B

把手儿	bǎshour	22
绊	bàn	30
半价	bànjià	26
包间	bāojiān	21
保护	bǎohù	19
保龄球	bǎolíngqiú	29
报道	bàodào	30
暴露	bàolù	32
抱怨	bàoyuàn	25
被窝儿	bèiwōr	27
比较	bǐjiào	17
必需品	bìxūpǐn	27
编辑	biānjí	29
扁桃体	biǎntáotǐ	27
拨	bō	30
博士	bóshì	24
不对劲儿	bú duìjìnr	30
补（票）	bǔ (piào)	29
补充	bǔchōng	20

不起眼儿	bù qǐyǎnr	31

C

材料	cáiliào	18
才艺	cáiyì	30
菜系	càixì	28
餐卡	cānkǎ	25
操心	cāo xīn	17
草书	Cǎoshū	26
茶叶	cháyè	27
蝉联	chánlián	24
场地	chǎngdì	21
厂家	chǎngjiā	32
唱片公司	chàngpiàn gōngsī	28
超薄	chāo báo	24
超过	chāoguò	18
成功	chénggōng	31
成熟	chéngshú	23
充值	chōng zhí	20
抽签	chōu qiān	25
出差	chū chāi	22
初试	chūshì	29
储蓄	chǔxù	31
川菜	Chuāncài	28
传染	chuánrǎn	22
传统	chuántǒng	24

刺激	cìjī	23		多此一举	duōcǐyìjǔ	31
凑	còu	21	**F**			
催	cuī	25		发炎	fāyán	27
存折	cúnzhé	31		犯	fàn	20
D				分布	fēnbù	25
答案	dá'àn	23		分享	fēnxiǎng	29
打断	dǎduàn	29		风格	fēnggé	26
打哈欠	dǎ hāqian	19		风俗习惯	fēngsú xíguàn	25
打呼噜	dǎ hūlu	27		复查	fùchá	31
打击	dǎjī	27		付出	fùchū	30
大型	dàxíng	32		复试	fùshì	29
贷款	dàikuǎn	21		复杂	fùzá	28
丹麦	Dānmài	22	**G**			
导游	dǎoyóu	25		改正	gǎizhèng	30
登机	dēngjī	24		感动	gǎndòng	26
邓亚萍	Dèng Yàpíng	24		高峰期	gāofēngqī	17
地域	dìyù	28		高考	gāokǎo	18
惦记	diànjì	19		工具	gōngjù	26
电信大楼	diànxìn dàlóu	28		公平	gōngpíng	25
叼	diāo	28		孤单	gūdān	19
调查	diàochá	19		鼓励	gǔlì	31
盯	dīng	32		股市	gǔshì	21
订购	dìnggòu	22		故意	gùyì	20
东兴小区	Dōngxīng Xiǎoqū	18		观察	guānchá	32
独特	dútè	26		观念	guānniàn	24
堵车	dǔ chē	17		惯	guàn	18
度数	dùshu	24		冠军	guànjūn	18
堆	duī	26		罐子	guànzi	31

广	guǎng	25		**J**		
广告	guǎnggào	29		机舱	jīcāng	32
规律	guīlǜ	19		几率	jīlǜ	32
柜台	guìtái	24		疾病	jíbìng	27
国际足联	Guójì Zúlián	22		急刹车	jí shāchē	25
果断	guǒduàn	29		集体	jítǐ	17
过期	guò qī	23		挤	jǐ	21
H				家常便饭	jiācháng biànfàn	19
哈哈大笑	hāhā dà xiào	25		家具	jiājù	18
哈里篮球队	Hālǐ Lánqiúduì	23		加强	jiāqiáng	32
汉族	Hànzú	25		家长	jiāzhǎng	30
毫升	háoshēng	18		假装	jiǎzhuāng	23
好评	hǎopíng	31		嫁	jià	32
合同	hétong	28		价位	jiàwèi	26
红茶	hóngchá	27		价值	jiàzhí	29
厚	hòu	24		剪	jiǎn	20
后果	hòuguǒ	31		减肥	jiǎn féi	31
后悔	hòuhuǐ	19		减少	jiǎnshǎo	20
呼吸	hūxī	17		减速	jiǎn sù	29
花园路	Huāyuán Lù	18		剑桥大学	Jiànqiáo Dàxué	24
淮扬菜	Huáiyángcài	28		健身	jiànshēn	20
怀孕	huáiyùn	31		建议	jiànyì	18
坏处	huàichù	18		奖金	jiǎngjīn	21
恢复	huīfù	18		降低	jiàngdī	20
回族	Huízú	25		降价	jiàng jià	21
婚礼	hūnlǐ	22		缴（费）	jiǎo (fèi)	28
获得	huòdé	24		教练	jiàoliàn	32
				接近	jiējìn	26

节约	jiéyuē	31	辽阔	liáokuò	28
戒（烟）	jiè (yān)	28	列车员	lièchēyuán	29
锦标赛	jǐnbiāosài	21	淋	lín	22
尽量	jǐnliàng	28	邻里关系	línlǐ guānxi	26
惊呆	jīngdāi	29	零花钱	línghuāqián	31
惊动	jīngdòng	31	流口水	liú kǒushuǐ	21
经纪人	jīngjìrén	28	流派	liúpài	26
竞争	jìngzhēng	30	留校	liú xiào	24
就餐	jiùcān	20	柳公权	Liǔ Gōngquán	26
沮丧	jǔsàng	27	龙泉小区	Lóngquán Xiǎoqū	18
俱佳	jù jiā	28	鲁菜	Lǔcài	28
拒绝	jùjué	27	绿茶	lùchá	27
决赛	juésài	20	**M**		
K			马马虎虎	mǎmǎhūhū	30
开朗	kāilǎng	28	盲肠	mángcháng	27
开夜车	kāi yèchē	18	毛笔	máobǐ	26
楷书	Kǎishū	26	贸易	màoyì	29
考研	kǎo yán	18	闷闷不乐	mènmèn-búlè	17
空隙	kòngxì	25	蒙古族	Měnggǔzú	25
口味	kǒuwèi	28	梦想	mèngxiǎng	32
夸奖	kuājiǎng	20	面试	miànshì	24
框架	kuàngjià	24	名牌儿	míngpáir	18
L			摩擦	mócā	32
喇叭	lǎba	25	模仿	mófǎng	30
理发	lǐ fà	18	蘑菇	mógu	19
隶书	Lìshū	26	墨	mò	26
利息	lìxī	31	**N**		
连续	liánxù	24	耐心	nàixīn	27

书法家	shūfǎjiā	26	跳槽	tiào cáo	28
属（羊）	shǔ (yáng)	32	通宵	tōngxiāo	24
数量	shùliàng	25	通知书	tōngzhīshū	31
双胞胎	shuāngbāotāi	30	统称	tǒngchēn	25
睡具	shuìjù	20	统一	tǒngyī	25
睡眠不足	shuìmián bùzú	20	推销	tuīxiāo	17
顺便	shùnbiàn	20	退	tuì	32
撕	sī	32	退休	tuì xiū	17
死里逃生	sǐ lǐ táo shēng	29	退役	tuìyì	24
送行	sòngxíng	32	托	tuō	22
诉苦	sù kǔ	31	**W**		
孙女儿	sūnnǚr	18	外观	wàiguān	21
损坏	sǔnhuài	32	外卖	wàimài	30
T			完善	wánshàn	32
台阶	táijiē	31	万一	wànyī	21
泰山	Tài Shān	30	王羲之	Wáng Xīzhī	26
谈判	tánpàn	29	网恋	wǎngliàn	23
糖醋排骨	Tángcù Páigǔ	31	维吾尔族	Wéiwú'ěrzú	25
烫（头）	tàng (tóu)	17	胃	wèi	19
滔滔不绝	tāotāo bù jué	29	文房四宝	wénfáng sì bǎo	26
特困生	tèkùnshēng	25	乌龙茶	wūlóngchá	27
特色	tèsè	25	污染	wūrǎn	17
提升	tíshēng	31	无关	wúguān	26
提速	tí sù	29	物产	wùchǎn	28
提问	tíwèn	28	误车	wù chē	26
体会	tǐhuì	29	**X**		
天赋	tiānfù	27	希腊	Xīlà	22
调皮	tiáopí	25	媳妇儿	xífùr	32

显示	xiǎnshì	25	姚明	Yáo Míng	23
限制	xiànzhì	21	咬	yǎo	21
项目	xiàngmù	22	业余	yèyú	23
象棋	xiàngqí	20	一流	yīliú	30
消除	xiāochú	17	一辈子	yíbèizi	19
消化	xiāohuà	27	移民	yímín	26
效率	xiàolǜ	20	艺人	yìrén	30
孝顺	xiàoshùn	30	意外	yìwài	27
歇	xiē	22	饮食	yǐnshí	19
心理素质	xīnlǐ sùzhì	32	迎亲车队	yíngqīn chēduì	25
心脏病	xīnzàngbìng	23	营业厅	yíngyètīng	28
行书	Xíngshū	26	影响	yǐngxiǎng	18
醒目	xǐngmù	32	应聘	yìngpìn	29
幸亏	xìngkuī	19	拥抱	yōngbào	32
幸运儿	xìngyùn'ér	29	优点	yōudiǎn	30
休斯顿火箭队	Xiūsīdùn Huǒjiànduì	23	优惠券	yōuhuìquàn	24
宣布	xuānbù	22	优势	yōushì	22
选手	xuǎnshǒu	24	有利于	yǒulìyú	32
学位	xuéwèi	24	预防	yùfáng	27
Y			约	yuē	25
亚洲	Yàzhōu	21	粤菜	Yuècài	28
颜真卿	Yán Zhēnqīng	26	月台	yuètái	26
研制	yánzhì	32	**Z**		
演技	yǎnjì	30	赞赏	zànshǎng	31
演讲	yǎnjiǎng	18	藏族	Zàngzú	25
演艺圈	yǎnyìquān	28	增加	zēngjiā	20
砚	yàn	26	占	zhàn	25
腰围	yāowéi	31	占线	zhànxiàn	30